VIE D'ANNE-SOPHIE BONENFANT

Du même auteur :

Iphigénie en Haute-Ville, roman, L'instant même, 2009 [2006].
Nous autres ça compte pas, roman, L'instant même, 2007.
Le Vengeur masqué contre les hommes-perchaudes de la Lune, roman,
    Hurtubise HMH, 2008.

FRANÇOIS BLAIS

Vie d'Anne-Sophie Bonenfant

roman

L'instant même

Couverture : Pascal Blanchet
Photocomposition : CompoMagny enr.

Distribution pour le Québec : Diffusion Dimedia
539, boulevard Lebeau
Montréal (Québec) H4N 1S2

Distribution pour la France : Distribution du Nouveau Monde

© Les éditions de L'instant même, 2009

L'instant même
865, avenue Moncton
Québec (Québec) G1S 2Y4
info@instantmeme.com
www.instantmeme.com

Dépôt légal – Bibliothèque et Archives nationales du Québec, 2009

**Catalogage avant publication de Bibliothèque et Archives nationales du Québec
et Bibliothèque et Archives Canada**

Blais, François, 1973-

Vie d'Anne-Sophie Bonenfant

ISBN 978-2-89502-286-2

I. Titre.

PS8603.L328V53 2009   C843'.6   C2009-941565-8
PS9603.L328V53 2009

L'instant même remercie le Conseil des Arts du Canada, le gouvernement du Canada
(Programme d'aide au développement de l'industrie de l'édition), le gouvernement
du Québec (Programme de crédit d'impôt pour l'édition de livres – Gestion SODEC)
et la Société de développement des entreprises culturelles du Québec.

L'auteur remercie le Conseil des Arts du Canada pour son soutien financier lors de
la rédaction de ce roman.

Mais je ne mourrai pas, moi, sans avoir fait mon livre, sur moi et sur toi (sur toi surtout). Non, ma belle, ma sainte fiancée, tu ne te coucheras pas dans cette froide terre sans qu'elle sache qui elle a portée.

Lettre d'Alfred de Musset à George Sand.

Au moment d'entreprendre la rédaction de cette biographie d'Anne-Sophie Bonenfant, l'insuffisance de mes moyens m'apparaît de manière plus flagrante que jamais, aussi n'ai-je d'autre choix que de m'en remettre à l'indulgence du lecteur, en espérant que celui-ci ne verra pas dans cette démarche une manière de prévenir la férule de la critique en allant au-devant des coups. (Je mourrais de honte de me savoir soupçonné d'une manœuvre aussi basse.) L'importance de mon sujet mériterait une meilleure plume que la mienne, cela va sans dire, mais je me console en songeant que, tels les pharaons qui érigeaient leurs tombeaux sur de chétives structures de bois que l'on détruisait sitôt qu'elles avaient rempli leur fonction, bientôt de véritables biographes viendront substituer leurs brillants monuments d'érudition à mon malhabile récit, lequel pourra alors sombrer dans un oubli mérité. Il aura du moins (et là est toute mon ambition) valeur de document aux yeux de ces biographes de demain, l'auteur ayant sur eux l'indéniable avantage de connaître personnellement, et même, pourrait-on dire, de vivre dans l'intimité d'Anne-Sophie Bonenfant. De la même manière que les écrits de Max Brod sur son ami Franz Kafka représentent une mine d'or pour les kafkaïens, nonobstant leur faible valeur littéraire, ces quelques pages consacrées à mademoiselle Bonenfant par quelqu'un l'ayant côtoyée intéresseront à coup sûr la postérité. S'il m'est permis de dire encore quelques mots à ma décharge, j'attirerai l'attention du lecteur sur le fait que l'atout que constitue la fréquentation de mon sujet se trouve contrebalancé par un inconvénient de taille : à l'heure où j'écris ceci, le sujet en question n'est encore âgé que de vingt-quatre ans et n'a, en conséquence, point encore donné la pleine mesure de son génie. De surcroît, nous ignorons toujours de quelle manière se manifestera ce génie. Sa prédilection pour la chose littéraire ainsi que ses tentatives prometteuses en ce domaine nous incitent à croire qu'elle choisira cette avenue, mais ce n'est qu'une des nombreuses possibilités (certes la plus probable) qui s'offrent à elle. Certaines carrières semblent exclues d'emblée, comme la politique ou la biochimie, mais là encore il ne faut jurer de rien.

Mes modestes talents ne m'autorisant aucune prouesse stylistique ni aucune hardiesse de construction et d'ornementation, je m'en tiendrai à un récit strictement chronologique et, imitant en cela monsieur James Boswell, le père de la biographie moderne, je ne me priverai pas de laisser toute la place à mon sujet en rapportant directement ses paroles, aussi souvent que cela sera possible. Ayant reconnu mes limites, il serait indigne de ma part de me cacher derrière cet aveu pour négliger mon style ou reculer devant une difficulté.

Ma source principale sera évidemment Anne-Sophie Bonenfant elle-même. Je relaterai scrupuleusement, sans chercher outre mesure à départager l'essentiel de l'anecdotique (chaque détail peut avoir son importance dans la vie d'un esprit de premier plan), les souvenirs et les opinions qu'elle a bien voulu me confier au cours des nombreuses entrevues qu'elle m'a accordées dans le cadre de ce projet. Ses proches m'ont également été d'un immense secours. Mes remerciements vont en premier lieu à sa mère, France Labelle, sans l'aide de laquelle il m'aurait été impossible de reconstituer de manière aussi précise les premières années de l'existence d'Anne-Sophie. Je tiens aussi à exprimer ma gratitude à son frère, Émile Bonenfant, à ses sœurs, Stéphanie et Marie-Ève Bonenfant, à sa meilleure amie, Laurence Douville, ainsi qu'aux nombreux autres amis et membres de sa famille qui ont bien voulu me consacrer du temps. Pour ce qui est des documents, je dispose du journal rédigé par sa mère durant les trois premières années de sa vie, ainsi que d'une boîte contenant divers souvenirs de sa petite enfance (dessins et bricolages, bulletins, rédactions scolaires, photographies, etc.). On peut déplorer qu'Anne-Sophie n'ait jamais songé à tenir un journal : cela eût grandement facilité le travail du biographe, ne fût-ce que pour établir avec précision la chronologie des événements. De même, il est regrettable qu'à notre époque d'échanges électroniques on ait perdu l'habitude de conserver les lettres qu'on reçoit ; aussi, bien qu'Anne-Sophie soit une épistolière prolifique, la presque totalité de sa correspondance – principalement avec sa cousine Frédérique – n'est pas parvenue jusqu'à nous. Heureusement, quelques lettres furent retrouvées et des extraits en seront insérés dans ce récit lorsque l'auteur le jugera pertinent.

Franchement ! Écrire sa biographie ! C'est vraiment ce que tu as trouvé de mieux ? Je veux dire : pourquoi te donner tout ce mal alors qu'il est évident qu'avec juste un peu de baratin tu aurais pu te la faire sans problème ? (Oh ! mais c'est vrai : « se faire » des filles c'est trop simple, trop vulgaire pour toi, et surtout, le baratin, c'est au-dessous de ta dignité.) En tout cas, pour ce que j'en sais, tu partais gagnant : elle te prenait pour un écrivain et elle te trouvait beau par-dessus le marché. Combien de filles te trouvent beau spontanément, hein ? Une sur cinq cents ? Une sur mille ? Oui, toi aussi tu la trouves belle, mais ça c'est dans l'ordre des choses : cent pour cent des gars la trouvent belle spontanément. Quant au ratio de filles attirées par les écrivains, vaut mieux ne pas en parler. Pompier, guitariste dans un groupe rock, DJ, barman au Dag, d'accord. Mais écrivain ? Et puis ce n'est pas non plus comme si tu étais Paul Auster.

Tu aurais pu, facile, la posséder corps et âme, mais tu as préféré renoncer à son corps pour une double ration d'âme, tu aurais pu « sortir avec », en faire ta blonde et, en te remémorant plus tard cette période de ta vie, tu aurais pu dire : « En 2008, je sortais avec Anne-Sophie Bonenfant » ou « De 2008 à 2012 j'ai fréquenté Anne-Sophie Bonenfant ; je peux voir le petit une fin de semaine sur deux », ou n'importe quoi du genre. Quelque chose de normal, quoi. Mais c'est précisément ce qui te faisait peur, hein ? C'est d'ailleurs cette manie que tu as de voir le cadavre dans le nourrisson qui t'empêchera toujours de mettre un pied devant l'autre. Du moins ça te donne un prétexte.

Elle t'avait dit : « Moi aussi je voudrais être écrivain » et tu t'étais demandé ce que signifiait son « moi aussi ». Moi aussi comme qui ? Comme Marcel Proust ? comme Agatha Christie ? comme Teilhard de Chardin ? Jusqu'à ce que tu finisses par comprendre qu'elle voulait dire « moi aussi comme toi ». Oui bon, en étirant un peu la notion, on pouvait prétendre que tu étais un écrivain. La définition du Robert *est suffisamment large pour inclure les gens comme toi. Après tout, tu avais publié deux ou trois petits romans, et quelques âmes bienveillantes t'avaient fait la grâce de trouver ton cabotinage rafraîchissant. Tu avais fait la tournée des salons du livre, été invité à quelques émissions de radio que personne n'écoute à part la mère de l'animateur, et on avait parlé de tes modestes efforts dans des publications que pas grand monde ne lit. Par exemple, le critique du* Devoir, *un type qui apparemment aime bien enfoncer les portes ouvertes, s'était donné la peine de déplorer (gentiment, il est vrai) la vacuité de ton propos. La revue* Entre les lignes *avait attribué à ton premier roman trois lunettes sur une possibilité de cinq, ce qui n'est pas trop mal. Genre : « C'est loin d'être mauvais, mais vous ne ratez pas votre vie en ne le lisant pas. » En te googlant, quelques mois après la sortie de ton premier livre, tu obtenais sept bonnes pages de sites où ton nom et/ou le titre de ton roman apparaissai(en)t, chose dont tu tirais, il faut bien l'avouer, une légère vanité. Au début tu avais trouvé singulier que des grandes personnes se penchent avec sérieux sur tes petites affaires (elles en avaient pris pour leur grade dans ton estime, ces grandes personnes), au début tu te faisais tout petit dans les événements littéraires, t'attendant à tout moment à te faire expulser par la Sécurité malgré ton carton d'invitation. Puis tu avais fini par t'habituer.*

Jamais pourtant il ne te serait venu à l'idée de parler de toi comme d'un « écrivain », et tu avais envie de disparaître entre le plancher et le prélart chaque fois que ta sœur te désignait ainsi devant les gens. Mais du point de vue d'Anne-Sophie (Anne-So pour les intimes, dont tu as fini par faire partie), tu étais indéniablement un écrivain, et c'est pourquoi elle n'avait pas tiqué en t'entendant parler de cette idée de biographie. Tu lui avais vendu ça comme un « projet d'écriture original et riche en possibilités » (les conneries que tu peux dire sans rire), à inscrire dans la lignée des fausses biographies tels Le docteur Faustus, *de Mann,* Le jeu des perles de verre, *de Hesse, ou encore le* Tristram Shandy, de Sterne. *Bon, ça n'avait aucun rapport puisqu'il s'agissait d'une véritable biographie, et pour ce qui est de l'originalité, tu as eu du culot de lui faire gober ça en cette époque où on assiste à un boom de biographies de nobodies, où le nouveau dada des vieillards consiste justement à consigner leurs banales existences dans le but saugrenu de « laisser une trace ». Mais la fierté d'avoir été choisie comme sujet par un « écrivain » lui avait fait négliger ces considérations et elle avait accepté avec enthousiasme de se prêter à l'expérience. Tu lui avais parlé de « biographie préventive » (oui, ça, j'avoue, c'était bien trouvé), exercice consistant à relater les gestes et les opinions d'une personne pour le moment inconnue, mais dont on est intimement persuadé qu'elle ne le restera pas. En d'autres mots tu lui faisais crédit de notoriété. Original en effet, seulement tu n'en croyais pas un mot. De ce projet d'écriture riche en possibilités tu n'espérais même pas tirer quelque chose de publiable (oh! inutile de protester, on est entre nous), tout ce que tu voulais c'était passer des après-midi en sa compagnie à l'écouter te raconter sa vie. C'est ce que tu voulais et c'est ce que tu as obtenu. Le problème c'est qu'à partir de maintenant, pour continuer à donner le change, il va bien falloir que tu l'écrives, cette bio. Tu y avais pensé, à ça ? Bon, allez, je ne te plains pas, après tout ce n'est pas comme si tu avais des tas d'autres choses à faire.*

Au moment où Anne-Sophie Bonenfant voyait le jour, à la maternité du centre hospitalier Laflèche de Grand-Mère, Jari Kurri, des Oilers d'Edmonton, premier Finlandais à jouer en Amérique, occupait le deuxième rang des compteurs de la Ligue nationale de hockey, avec un total de cent quatre points (cinquante-deux buts, cinquante-deux passes). Celui qui le devançait (par cinquante points, rien que ça !) était évidemment son joueur de centre Wayne Gretzky, lequel en l'espace de cinquante-six parties seulement avait trouvé le moyen de marquer cinquante-quatre buts et de participer à cent autres. Plus près de nous, Mats Naslund (alias le Petit Viking) trônait en tête des marqueurs des Canadiens avec soixante-neuf points (trente et un buts, vingt-huit passes), devant Pierre Mondou, Mario Tremblay (alias le Bleuet Bionique) et Chris Chelios. Au cinquième rang venait Guy Carbonneau qui, bien qu'étiqueté « joueur à caractère défensif », présentait des statistiques comparables à celles de certains joueurs offensifs ayant joué sous ses ordres lors de son passage derrière le banc. Peter Stastny dominait bien sûr chez les Nordiques, malgré une saison en deçà des attentes ; Michel Goulet et Anton Stastny le talonnaient. Pour demeurer dans le monde du sport, signalons que les négociations entre les Expos et le clan Tim Raines achoppaient sur la question du salaire. Raines réclamait un million deux cent mille dollars ; les Expos ne lui offraient qu'un million. (On peut se demander ce qu'un gars comme Alex Rodriguez, qui écoule présentement la septième année d'un contrat de dix ans qui lui rapportera au total un quart de milliard, penserait de ce chipotage pour de la menue monnaie.)

Il n'est pas impossible que la première chanson à avoir frappé son tympan fût *I Want to Know What Love Is,* la célèbre ballade de Foreigner, qui atteignait cette semaine-là, après une lente ascension, la première position du palmarès Bilboard ; ou encore l'irrésistible *Careless Whisper* de Wham ! qui lui succéda au sommet et qui fut la chanson la plus populaire de cette année pourtant riche en hits. Riche au point où *One Night In Bangkok* de Murray Head, ce grand classique des planchers de danse, se qualifiait de justesse (en 48e position) dans le top 50 des grands succès de l'année. Le déshonneur n'est pas si grand quand on sait que les échelons supérieurs étaient occupés par des titres comme *Don't You (Forget About Me)* (Simple Minds), *Say You, Say Me* (Lionel Ritchie), *Part-Time Lover* (Stevie Wonder), *If You Love Somebody (Set Them Free)* (Sting), *Crazy For You* (Madonna), *A View To A Kill* (Duran Duran), *Cherish* (Kool And The Gang), *Sussidio* (Phil Collins, qui connaissait une année faste avec pas moins de cinq titres dans ce top 50), ainsi que l'inoubliable *We Are The World,* (USA For Africa), effort collectif des plus grands noms de la scène musicale américaine visant à amasser des fonds pour soulager la famine en Éthiopie.

Le marasme dans lequel était plongée l'industrie du disque au Québec n'avait pas empêché quelques grosses pointures tels Martine St.Clair, Claude Dubois, Ginette Reno, Pierre Bertrand, etc., d'emboîter le pas à leurs confrères américains en lançant leur propre chanson pour venir en aide aux Éthiopiens. Il semble qu'on s'occupait alors beaucoup de ces petits Éthiopiens. Les Biafras, comme on les appelait parfois improprement, constituaient une source d'inspiration intarissable pour les artistes, journalistes, chroniqueurs et humoristes. Le point culminant de cette biaframania, le méga concert Live Aid organisé par le rocker Bob Geldof, fut regardé par des centaines de millions de personnes à travers le monde et tous les profits servirent à acheter de la nourriture pour les Éthiopiens. Il faut croire que l'objectif a été atteint et que chacun aujourd'hui bâfre comme un roi là-bas, car on a complètement cessé d'en parler peu après.

Le matin de sa naissance (événement qui survint à minuit vingt-quatre précisément), les principaux quotidiens de la province consacraient une partie de leur première page à la résolution de l'affaire Merrill Lynch. « Le butin retrouvé, sept arrestations », titrait *La Presse* ; « Le vol de 68 $ millions ÉLUCIDÉ », nous apprenait pour sa part le *Journal de Montréal,* en prenant la peine d'écrire cet ÉLUCIDÉ en jaune pétant, pour les lecteurs inattentifs ou mal réveillés. Une vingtaine de jours plus tôt, des individus s'étaient introduits dans les locaux de la firme de courtage Merrill Lynch et s'étaient emparés de certificats de dépôt, de bons du Trésor et d'actions d'une valeur totale de soixante-huit millions de dollars. Quatre frères (les Mingo) figuraient parmi les suspects. D'autre part, l'ex-caporal Denis Lortie qui, pour des raisons qui lui avaient paru bonnes sur le moment, avait ouvert le feu à l'Assemblée nationale, tuant trois personnes, achevait de subir son procès. Le jury délibérait depuis quatre jours et les observateurs s'entendaient pour considérer que cela sentait le roussi pour monsieur Lortie, dont la glorieuse épopée avait été captée par les caméras de surveillance. Sur la scène politique, une lutte qui s'annonçait féroce se dessinait entre Lloyd Axworthy et Jean « Le p'tit gars de Shawinigan » Chrétien pour la succession de John Turner à la tête du Parti libéral du Canada. Bien sûr, aucun des deux ne remettait en question le leadership de monsieur Turner, mais certains signes ne mentent pas. Monsieur Axworthy, pour sa part, avait passé un mois à La Rochelle, en France, où il en avait profité pour parfaire son français. On apprenait également que l'affaire Hatfield venait de rebondir aux communes, où Elmer MacKay, solliciteur général du Canada, avait été la cible des attaques de l'opposition. La chose semblait suffisamment importante pour que *La Presse* en parle à la une. Si à peu près personne aujourd'hui ne se souvient de ce que l'on reprochait au juste à ce pauvre monsieur MacKay, certaines manchettes rendent par contre un son étrangement familier. Ainsi, le boxer Alex Hilton faisait face à quatre accusations au criminel (négligence dans le maniement d'une arme à feu, méfait, conduite en état d'ébriété et refus de subir l'alcootest). La bonne nouvelle était qu'il promettait de s'amender : « Je jure sur la tête de mon enfant de mener une vie rangée à l'avenir », avait-il déclaré aux journalistes présents au palais de justice. Sur la scène internationale, Israéliens et Palestiniens se prenaient à la gorge pendant que leurs chefs respectifs, Shimon Peres et Yasser Arafat, se lançaient de virulentes accusations. Non, vraiment, certaines choses ne changent pas. La preuve en est que l'on pestait déjà contre le prix de l'essence. (Non sans raison d'ailleurs, car selon une rumeur de plus en plus persistante, la barrière des cinquante cents le litre serait atteinte, voire dépassée, dans le courant de l'année.)

En temps normal, il se passait rarement une semaine sans que ces deux grands amateurs de cinéma qu'étaient France Labelle et Louis Bonenfant confient les jumeaux à Rose (la mère de France) et se rendent à Place Fleur-de-Lys voir le dernier film à l'affiche. Ils auraient alors eu à choisir entre *Indiana Jones et le temple maudit,* deuxième volet des aventures du célèbre archéologue, *La femme en rouge,* avec Gene Wilder, et *Le flic de Beverly Hills,* une comédie policière dont le premier rôle avait été offert à quelques-unes des plus grandes vedettes de Hollywood (dont Sylvester Stallone), avant d'être finalement accepté par un jeune stand-up comic noir du nom d'Eddy Murphy. *Ça va cogner,* le nouveau Bud Spencer, aurait été éliminé d'emblée, et Louis aurait sans doute échoué à convaincre son épouse d'aller voir *Le jumeau* ; d'une manière générale, France n'aimait pas trop les comédies.

Mais l'on n'était pas en temps normal, et l'horaire des cinémas ne figurait point au centre des préoccupations du couple à ce moment-là. En fait, ni Harrison Ford, ni Eddy Murphy, ni Jean Chrétien, ni Lloyd Axworthy, ni Shimon Peres, ni Denis Lortie, ni Phil Collins, ni Wayne Gretzky, ni même les petits Biafras n'occupaient une grande place dans les pensées de France Labelle en cette nuit du onze au douze février mille neuf cent quatre-vingt-cinq.

À cette époque, elle, Louis et les jumeaux demeuraient au rez-de-chaussée d'un immeuble à deux étages, au coin de la Septième Avenue et de la Seizième Rue. Le lecteur conviendra qu'il s'agissait là de l'endroit idéal pour habiter si l'on était une femme enceinte, puisqu'il n'y avait pas un demi-kilomètre de leur salon à l'entrée principale du centre hospitalier. En empruntant le petit escalier recouvert d'un auvent donnant sur la Seizième, le trajet se faisait pour ainsi dire à vol d'oiseau. Mais Louis Bonenfant n'étant pas homme à laisser sa femme aller accoucher à pied en plein hiver, on prit la voiture et on se rendit à l'hôpital par la côte de la Sixième Avenue. Souvenons-nous qu'en ces temps pas si lointains, Laflèche n'avait point encore été transformé en centre de soins de longue durée, mais était encore un hôpital à part entière, doté d'une urgence, d'un bloc opératoire, d'un service de pédiatrie, etc. On pouvait y naître aussi bien qu'y mourir. Le docteur Busque, le médecin de famille, présida à l'accouchement mais, selon ses propres dires, son rôle fut de pure figuration, puisque Anne-Sophie s'était placée comme si elle avait déjà fait ça des dizaines de fois et, son petit gabarit aidant (elle pesait tout juste six livres à la naissance), la délivrance s'était effectuée rapidement et sans douleur. Stéphanie et Émile avaient donné autrement de fil à retordre, quatre ans plus tôt, les deux s'étant présentés à tour de rôle dans des postures faisant vraisemblablement l'objet de l'examen final du cursus d'obstétrique. On s'était même résolu, vers la quinzième heure de travail, à casser une clavicule à Émile, personne ne voyant comment on aurait pu le sortir de là autrement.

S'il faut en croire une vieille légende germanique, les enfants nés au milieu de la nuit resteront toute leur vie proches du monde invisible, sujets aux prémonitions et aux contacts avec les esprits. Eh bien, si cette vieille légende renferme un quelconque fond de vérité, force est de constater qu'Anne-Sophie est l'exception qui confirme la règle, car je ne sache personne de tempérament moins saturnien que ma jeune amie. Elle a bien sûr, comme nous tous, traversé une période pendant laquelle elle était plus ou moins convaincue que s'habiller en noir était le fait d'un esprit hors du commun, mais cela ne dura pas plus de quelques semaines.

Il était encore d'usage à l'époque que la mère et son nouveau-né demeurassent quelques jours en observation à l'hôpital. C'est là qu'Anne-Sophie eut son premier contact avec sa parenté et les amis de sa famille. Même tante Micheline, qu'elle ne verrait pratiquement plus au cours de cette décennie, fit le voyage depuis Sudbury pour faire sa connaissance. L'honneur de la tenir quelques minutes fit l'objet de nombreuses querelles de préséance et la traditionnelle recherche des ressemblances fut à l'origine d'âpres controverses. Évidemment, chaque membre du clan Bonenfant jurait ses grands dieux qu'elle était tout le portrait de son père. Les Labelle, pénétrés de la supériorité que donne l'avantage du nombre, ne se donnaient pas la peine de répliquer, se contentant de lever les yeux au ciel devant un aveuglement si patent. La même scène avait déjà été jouée à de nombreuses reprises au cours des ans, mais chacun reprenait son rôle comme si c'était la première fois.

Anne-Sophie débutait en effet dans la vie dotée de cousins et cousines en nombre suffisant pour que le moindre enterrement se transforme en fiesta monstre, et pour que le bruit généré par un réveillon du Nouvel An ne descende jamais sous les cent quarante décibels. Ce baby-boom, qui s'achèverait avec la naissance de Marie-Ève, en octobre 1989, s'était amorcé par la venue au monde de Vincent, en 1979, premier enfant de Micheline Bonenfant et de son époux Denis Michaud. Ce fut Diane, la sœur aînée de France, qui partit le bal du côté des Labelle, en accouchant à peine six mois plus tard de Simon, qui ne vivrait pas assez longtemps pour voir la fin de la décennie et dont Anne-Sophie ne conserve à peu près aucun souvenir. Simon, qui avait alors toute la vie devant lui, n'avait pas prononcé son premier mot quand les jumeaux, Émile et Stéphanie, naquirent le 3 janvier 1981. Puis ce fut Philippe, en 1982, fils de Caroline Labelle et de père inconnu, suivi d'Isabelle, en 1983, deuxième enfant de Micheline et Denis. En 1984, les deux sœurs de France se croisèrent à la maternité. Caroline, qui habitait déjà Québec mais avait tenu à venir accoucher à Grand-Mère, donna naissance à Frédérique le 6 août, encore une fois de père inconnu (du moins officiellement, ce qui se révélerait très pratique, dix-huit ans plus tard, pour obtenir le maximum des Prêts et Bourses), tout juste une semaine avant que la petite Samuelle ne vienne s'ajouter à la famille Labelle-Doyon, le 13 août. Avec ces trois cousines et cette sœur qui la précédaient, on imagine aisément la pluie de joujoux, articles et vêtements pour bébé qui s'abattit sur le domicile du jeune couple en cet hiver 1985, ainsi que le feu croisé de préceptes, conseils et recommandations, toujours péremptoires et souvent contradictoires, qui se déchaîna à cette occasion (à écouter chacun, on aurait dû coucher la petite sur le dos *et* sur le ventre ; on aurait dû la réveiller en pleine nuit pour son boire *et* la laisser dormir ; la nourrir uniquement au sein en même temps qu'on la nourrirait exclusivement au Similac, etc.).

Avec deux enfants, le cinq et demie de la Septième Avenue paraissait déjà plutôt petit, mais à l'arrivée du troisième on atteignait les limites du fonctionnel. Les jumeaux faisaient chambre commune depuis leur naissance et la pièce libre remplissait les fonctions de salle de jeu et de débarras. Il y régnait un désordre permanent qu'on ne tentait même plus d'endiguer. Tant que la porte en était fermée, l'appartement était réputé bien rangé, mais à partir du moment où la pièce fut réquisitionnée pour servir de chambre d'enfant et son contenu (jouets par centaines, caisses de documents, caisses de décorations de Noël, caisses de livres, machine à coudre, coffre contenant les vêtements d'hiver, etc.) réparti à peu près équitablement dans les autres chambres, le logis se transforma en un épouvantable capharnaüm. L'état des finances de France et Louis leur permettait de prendre une hypothèque sur une maison, et c'est ce qu'ils auraient fait depuis longtemps sans cette menace de mutation qui planait sur Louis. (En fait, on ne pouvait pas vraiment parler de menace puisqu'il s'était lui-même porté volontaire pour ce poste en Abitibi mais cela l'obligeait tout de même à vivre en stand-by.) La situation connut son dénouement au début de l'été suivant, quand ses patrons lui annoncèrent que les devis étaient approuvés, le budget voté et les contrats signés. Un mois plus tard la famille emménageait dans la grande maison au toit vert que le cabinet de Louis avait retenue pour eux dans le rang Douglas, à Kipaowé, village de deux mille habitants (dont trois cents permanents) situé à une centaine de kilomètres au nord-est de Matagami, qui serait leur foyer pour les cinq années suivantes. C'est dans ce patelin condamné à fermer en même temps que la mine justifiant son existence, dans ce bled lugubre perdu au milieu de la forêt abitibienne, ravagé par l'alcoolisme, le suicide, la violence et les tensions raciales entre Blancs et Indiens, qu'Anne-Sophie perça sa première dent, fit ses premiers pas, célébra son premier anniversaire, apprit à parler et rencontra ses premiers amis. Certains spécialistes de la petite enfance affirment qu'il est impossible de se rappeler le moindre événement survenu avant l'âge de cinq ans, ce qui n'empêche pas mon amie de dévider pendant des heures ses souvenirs de Kipaowé. Et à voir ses yeux briller dans ces moments-là, il est indubitable que ces années passées dans ce que d'aucuns qualifient de « trou du cul de la planète » comptent parmi les plus belles de sa vie.

Avant d'entreprendre le récit de ces années de petite enfance, il ne me semble pas inutile de marquer une pause et d'opérer un bref retour en arrière afin de porter à la connaissance du lecteur les circonstances ayant présidé à la venue au monde d'Anne-Sophie. Cette biographie ne serait à mon sens pas complète sans au moins quelques mots sur l'origine et la situation de sa famille, ni sans une esquisse des caractères de ses principaux membres.

En 1898, monseigneur Henri Têtu, prélat de la maison de Sa Sainteté et procureur de l'archevêché de Québec, fit paraître une monographie traitant de la généalogie des familles Bonenfant et Têtu (ces derniers descendant des premiers par les femmes), depuis l'arrivée du premier Bonenfant en Nouvelle-France, au milieu du XVIIIe siècle, jusqu'à son époque. On y apprend qu'il existe une unique souche de Bonenfant au Québec. Tous ceux qui portent ce patronyme descendent de Jean-Baptiste Bonenfant, né en (ou vers) 1713 à « Fraigaud, à une lieue de Fontenay, en Poitou, et dans le diocèse de La Rochelle », et de son épouse Élizabeth Bals, née en 1719.

Jean-Baptiste était boulanger de son état et on raconte (monseigneur Têtu rapporte la chose sous toute réserve) qu'il en était à son troisième voyage en Nouvelle-France quand il décida de s'y installer pour de bon. Cela paraît insolite à la lumière de ce qu'on sait des conditions de vie du peuple sous l'Ancien Régime. Comment trouva-t-il le moyen de quitter sa boutique pour de longs mois et de voyager dans le Nouveau Monde, en ces temps où assurer sa pitance relevait du tour de force ? L'histoire ne le dit pas. Ce qui est certain c'est qu'en 1750 il s'y était définitivement établi, car on trouve, cette année-là, son nom sur l'acte de vente d'une maison située à la rivière Ouelle. Il est alors marchand. Au printemps de 1759, un détachement de soldats anglais, commandé par Montgomery, débarque à la rivière Ouelle et incendie presque toutes les maisons. Jean-Baptiste se réfugie alors à Saint-Nicolas, mais il revient à la rivière Ouelle la guerre finie. Le changement de régime n'affecte apparemment pas ses affaires car, en 1764, il achète, pour la somme de cinq cents livres, « dix-huit perches de terre de front, prenant leur front sur le fleuve Saint-Laurent, et leur profondeur au chemin du Roi des coteaux, et dix-sept autres perches de front prenant leur front au dit chemin, et leur profondeur au domaine de madame de Boishébert ». La même année, il acquiert également une pointe de terre de cinquante arpents, toujours à la rivière Ouelle. Sa femme, dont on ne sait rien hormis son nom, sa date de naissance et le montant de sa dot (deux cent cinquante francs), mourut en 1774, à cinquante-cinq ans. Six de ses enfants avaient alors atteint l'âge adulte. Quatre mois et demi seulement après l'inhumation, Jean-Baptiste convolait à nouveau, cette fois avec Marie-Josephte Côté, née à Saint-Pierre (île d'Orléans), qui lui apportait une dot de six cents schellings de la province, provenant de ses épargnes. Quant à savoir ce que valait au juste un de ces « schellings de la province », il faut renoncer à s'en faire une idée. Il fit de toute façon une bonne affaire en l'épousant car, deux ans à peine après le mariage, Paul Côté, oncle de Marie-Josephte, mourait en lui laissant la moitié de sa fortune. À cette époque, Jean-Baptiste était déjà retiré des affaires, comme en témoigne sa qualité d'« ancien négociant de la Rivière Ouelle », figurant sur les contrats où il était partie prenante.

Il mourut le 10 août 1797, « muni de tous les secours de la religion », et fut inhumé le lendemain dans l'église. En plus de ce qu'il lègue à sa femme et à ses enfants et de trois cents francs à être distribués entre les pauvres de la paroisse, il laisse aussi de quoi payer cent messes basses pour le repos de son âme. Était-ce l'usage alors, ou Jean-Baptiste avait-il de bonnes raisons de croire son salut compromis ? Monseigneur Têtu est muet à ce sujet.

Le premier fils de Jean-Baptiste avait été nommé comme son père et était né en France, l'année suivant le mariage de ses parents. Il avait quatre ans lors de son arrivée en Nouvelle-France. On ne sait pas grand-chose à son sujet, sinon qu'il épousa, à l'âge de dix-sept ans, à Rimouski, Véronique Lepage, laquelle mourut peu de temps après le mariage, mais eut tout de même le temps de lui donner un fils, qu'on appela aussi Jean-Baptiste.

Ce troisième Jean-Baptiste, né en 1764, se maria en 1783 à une certaine Marie Dorothée Hudon et, sitôt en ménage, n'eut rien de plus pressé que d'engendrer Jean-Baptiste Bonenfant, quatrième du nom qui, lui, brisa la tradition en ne nommant aucun de ses quatre fils Jean-Baptiste – ce qui dut provoquer quelques tensions dans la famille. Il aurait toutefois mieux fait de s'en tenir à ladite tradition, puisque son premier-né fut affublé du nom de Damase. (Lequel épousa plus tard une demoiselle du nom d'Émérence Sirois.) Ce Damase, qui avait paraît-il une belle écriture, est le dernier ancêtre d'Anne-Sophie à être répertorié dans l'ouvrage susnommé, monseigneur Têtu délaissant ensuite la lignée des Bonenfant pour suivre celle des Casgrain et des Têtu. Comme deux siècles nous séparent de Damase Bonenfant, il est impossible, même en prenant l'arbre généalogique par l'autre bout, c'est-à-dire en interrogeant Lionel Bonenfant, grand-père d'Anne-Sophie, de combler le vide entre cette époque et la nôtre, les souvenirs de Lionel s'arrêtant à son propre grand-père, Lucien. Souvenirs flous d'un homme à moustaches cirées, chauve et autoritaire, qui occupa un poste élevé au sein de la police de Trois-Rivières et n'eut, chose rare pour l'époque, qu'un seul enfant, Édouard. Lionel garde également un très vague souvenir de son père, car il n'avait que douze ans lorsque celui-ci fut tué par un obus lors de la Seconde Guerre mondiale. Mécanicien à l'emploi de la Ville de Trois-Rivières dans le civil, son travail sur le champ de bataille consistait à rafistoler à la hâte les chars d'assaut endommagés, de manière à ce qu'ils pussent reprendre le combat. Quand l'un de ces mastodontes d'acier subissait une avarie, Édouard et son unité accouraient sur les lieux, en jeep si le terrain le permettait, sinon à pied, slalomant entre les tirs des panzers et les bombes larguées du ciel. Si une réparation était envisageable, on l'effectuait en quatrième vitesse, sinon on constatait le décès et on évacuait l'équipage. On comprendra que les gens exerçant ce métier avaient une espérance de vie de beaucoup inférieure à celle du comptable agréé moyen, et que lorsqu'un décès survenait il n'y avait généralement pas grand-chose à mettre dans le cercueil. En effet, il eût fallu un thanatologue de génie pour reconstituer un homme à partir des quelques éclats d'os qui furent expédiés à la famille, accompagnés d'un drapeau et de trois médailles.

Bien qu'il ne les eût pratiquement pas connus, ce grand-père notable et surtout ce père héros ouvrirent beaucoup de portes à Lionel, et il y a fort à parier que sans cela il n'aurait pas occupé à un si jeune âge le poste d'ingénieur en chef à la Shawinigan Water and Power. Et s'il n'avait pas obtenu cet emploi prestigieux, lui et son épouse Yvonne n'auraient pas fait l'acquisition de leur grande maison blanche du boulevard Saint-Onge, non loin de celle des Labelle, et alors les arbres généalogiques des deux familles ne se seraient point croisés et le sujet de cette biographie n'aurait jamais existé. Pour quelqu'un qui en serait toqué au point de voir dans sa personne la raison d'être de notre univers, de considérer son avènement comme étant l'unique justification du Big Bang, pour cet hypothétique quelqu'un, donc, l'idée qu'Anne-Sophie Bonenfant eût aussi bien pu ne jamais quitter les limbes peut sembler grotesque. Il s'en est pourtant fallu de peu pour que ce scénario catastrophe se réalise, car malgré qu'ils eussent passé leur jeunesse à un jet de pierre l'un de l'autre, et malgré l'amitié unissant leurs mères, France et Louis n'affichèrent qu'indifférence l'un pour l'autre pendant leur enfance et leur adolescence (il faut dire que quatre ans de différence à cet âge-là, ça compte), et il avait fallu qu'un heureux hasard les fasse se rencontrer à cent cinquante kilomètres du boulevard Saint-Onge pour qu'ils s'avisent enfin de leur existence respective.

Mais avant d'en venir à cette rencontre, il importe que je dise également quelques mots sur la famille de France. Bien que cette lignée, fondée par Guillaume Labelle à la fin du XVIIe siècle, compte dans ses rangs quelques personnages dignes de mention (dont le plus connu est le fameux curé Labelle),

elle n'a malheureusement pas bénéficié de la plume élégante d'un monseigneur Têtu pour tenir sa chronique. En puisant à diverses sources je suis malgré tout parvenu à réunir quelques données.

Comme c'est le cas pour les Bonenfant, tous les Labelle d'Amérique sont issus d'une même souche, ce qui ne laisse pas d'étonner quand on sait qu'il s'agissait d'un matronyme fort répandu dans la France rurale de l'Ancien Régime. En effet, l'épithète « la belle » était fréquemment attribuée à quelque paysanne particulièrement accorte. Il arrivait que le nom passe à ses enfants qui, à leur tour, le transmettaient à leur progéniture, si bien qu'au bout de trois ou quatre générations il finissait par acquérir la majuscule et la légitimité civile. Les paysannes accortes ne manquant pas, et les gens ayant tendance à suivre la pente facile, on comprendra que les Labelle abondaient. Celui qui nous intéresse, Guillaume, était originaire de Normandie et apparemment ne s'y plaisait guère puisque, dès l'âge de dix-huit ans, il trouva un employeur en Nouvelle-France et s'embarqua sur le premier navire. On ne sait si cet ancêtre portait déjà en lui les germes du talent littéraire qui allait se manifester trois siècles plus tard par la plume de ses descendants Antoine et Eugène (et qui fleurit à nouveau aujourd'hui en Anne-Sophie), car il n'avait point jugé utile d'apprendre à écrire. Jusqu'à sa mort il allait signer d'une croix ses contrats et autres documents officiels. Ce qui ne l'empêcherait pas, comme nous l'allons voir, de connaître une carrière honorable dans son nouveau pays.

Ses débuts furent cependant ardus. Il vécut pendant quelques années dans une condition proche de la misère, malgré la dot de trois cents livres tournois de sa femme, Anne Charbonneau, elle aussi née en France. Il utilisa une partie de cette somme comme mise de fonds pour l'achat d'une propriété de soixante arpents dans l'île de Montréal. Une fois l'accord conclu, il lui restait quatre cent quarante-cinq livres à payer en cinq versements annuels de quatre-vingt-neuf livres, ce qui représentait une forte somme. Même en amortissant les frais d'installation sur plusieurs années et en limitant les dépenses du ménage au strict nécessaire, il était impossible de payer l'annuité, à moins de travailler comme un forçat. Ce qu'il fit. Il se dispensa d'embaucher des aides et effectua le travail de trois hommes. Il s'engagea également à abattre une étendue de trois arpents de bois sur ses terres pour en faire « un cent de bonnes planches à couvrir », qu'il se chargerait ensuite d'acheminer au bord du fleuve, le tout dans un délai de cinq mois. Malgré des journées de travail de dix-huit heures, il trouva le temps et l'énergie de faire trois enfants à sa femme entre 1672 et 1675 (ils en eurent douze en tout, dont dix atteignirent l'âge adulte).

L'année 1675 marque la fin de cette vie de galérien et le début de l'ascension sociale de Guillaume. Cette année-là, monseigneur de Laval échangea l'île d'Orléans contre l'île Jésus (aujourd'hui Laval) et une compensation financière de vingt-cinq mille livres. Son procureur, Pierre Boucher, sieur de Grosbois et seigneur de Boucherville, se mit alors à la recherche de deux fermiers honnêtes et travaillants pour s'occuper de la ferme seigneuriale de l'île Jésus. La réputation de bûcheur infatigable de Guillaume Labelle n'étant plus à faire, il obtint l'un de ces deux postes. L'autre fut donné à son beau-père, Olivier Charbonneau. Il passa ainsi du statut de simple colon tirant le diable par la queue à celui de métayer de monseigneur de Laval, ce qui était une belle promotion, à défaut d'être une sinécure. Cependant, il faut croire que Guillaume n'aimait pas l'idée de travailler pour autrui, car il ne resta en poste que trois ans, le temps d'amasser un pécule suffisant pour acquérir une nouvelle terre. Il acheta des religieuses de la Congrégation de Notre-Dame de Montréal une partie du domaine dit du Bon Pasteur, sur la rive sud de l'île Jésus.

De nos jours encore, la vie de fermier passe pour n'être point de tout repos. Toutefois, sans vouloir mettre en doute la vaillance de nos producteurs agricoles modernes, je me permets de faire remarquer que les attaques d'Iroquois sont beaucoup moins fréquentes aujourd'hui que par le passé. Pendant une quinzaine d'années, à la fin du XVIIe siècle, ces derniers, encouragés par l'ennemi anglais, firent la vie dure aux habitants de Montréal et de ses environs. Guillaume et sa famille tinrent bon quatorze années mais, en 1692, ils durent se résoudre à trouver refuge dans la région de Québec. Les compilations et registres consultés ne nous apprennent pas de quoi ils vécurent pendant leur exil. Ils ne retournèrent dans leur propriété de l'île Jésus qu'en 1701, soit après la signature du traité de paix avec les Iroquois. Guillaume Labelle y mourut neuf ans plus tard.

Les dix enfants d'Anne et de Guillaume eurent à leur tour une nombreuse progéniture et les Labelle ne tardèrent pas à essaimer aux quatre coins de l'Amérique. On les retrouve au fort Frontenac, à Détroit, à Michillimackinac, en Illinois, au Grand Portage, au poste de l'Ouest, etc. Certains même accompagnaient Frobisher dans l'exploration du Nord. La branche qui nous intéresse fut plutôt sédentaire, car en trois siècles elle n'aura franchi que la distance de l'île Jésus à la paroisse Saint-Jean-Baptiste de Grand-Mère. On ignore toutefois les détours empruntés pour s'y rendre. Vers la fin du XIXe siècle, quand Antoine Labelle fait parler de lui, les différentes familles Labelle issues des enfants d'Anne et de Guillaume suivent des chemins distincts, car Eugène Labelle, quasi contemporain du célèbre curé, ne le revendique pas comme parent, ce qu'il ne se serait point gêné de faire si cela eût été le cas, fût-ce au troisième degré.

Il ne serait pas mauvais de s'attarder un peu au cas de cet Eugène Labelle qui, bien que décédé un bon quart de siècle avant la naissance d'Anne-Sophie, allait être une figure familière de celle-ci. Dès l'âge de huit ou neuf ans, elle avait souvent tenu dans ses mains le roman de son aïeul (l'exemplaire se trouvant dans la bibliothèque familiale, pas celui, annoté par l'auteur, que sa mère conservait pieusement dans un coffret), contemplant son austère couverture, feuilletant lentement ses pages jaunies, promenant son doigt sur sa tranche irrégulière, respirant son odeur de vieille colle et de poussière. Bien avant que l'idée de lire le roman ne l'effleure, elle avait parcouru des dizaines de fois le petit texte précisant qu'« il a été tiré de ce volume deux cents exemplaires sur papier Louvain Antique » – se faisant des représentations extravagantes quant à l'aspect que pouvait revêtir un livre fait de papier Louvain Antique – ainsi que la courte notice biographique de l'auteur, qu'elle peut encore citer de mémoire aujourd'hui : « Eugène Labelle est né à Montréal en 1897. Il a fait son cours classique au séminaire de Québec, où il a eu pour condisciple Félix-Antoine Savard. Après des études de droit, il fut un temps journaliste au *Canada Français*. Devenu avocat, il continue néanmoins de fréquenter le milieu littéraire (il compte parmi ses relations Rina Lasnier et Hector de Saint-Denys Garneau) et de donner des articles à divers journaux. *Des monstres dans une goutte d'eau* est son unique roman à ce jour. » Les éditions subséquentes supprimeraient le « à ce jour » car, à sa mort en 1960, son œuvre publiée se résumait toujours à ce seul roman. Ses nombreux articles, récits et poèmes ne furent jamais réunis en volume, malgré de vagues projets d'éditions critiques resurgissant de temps en temps dans les milieux universitaires. Anne-Sophie n'avait pas osé poser la question à ses parents, mais elle se demandait ce que cela avait de si glorieux de compter parmi ses relations des gens répondant aux noms grotesques de Rina Lasnier et Hector de Saint-Denys Garneau. (Pour ce qui est de Félix-Antoine Savard, elle aurait le loisir de se forger une opinion quand, en 5ᵉ secondaire, on la forcerait à avaler *Menaud, maître-draveur* et à pondre une dissertation. Elle en aurait alors long à dire sur les fréquentations de son ancêtre.) Mais à huit ans, ce qui la fascinait par-dessus tout dans cette notice c'était que quelqu'un puisse être né en 1897. Même imprimée en toutes lettres dans un sobre volume aux pages coupées, l'information lui semblait trop invraisemblable pour être admise.

Le titre l'avait toujours alléchée mais ce n'est qu'à onze ans qu'elle s'y était cassé les dents une première fois. S'aidant du dictionnaire pour les mots difficiles, elle avait alors atteint la page 44 avant de capituler, fière de l'effort fourni mais se sentant tout de même vaguement arnaquée du fait qu'à ce point du récit il n'avait toujours pas été question de monstres, dans une goutte d'eau ou ailleurs. L'exergue, tiré d'un roman de Balzac (*Béatrix*) et censé justifier le titre, ne faisait qu'embrouiller les choses : *Si j'étais à vous, je vous ferais manquer votre vie. Il y aurait chez vous manque de foi, de constance, ou vous auriez alors l'intention de me vouer toute votre existence : je suis franche, je la prendrais, je vous emmènerais je ne sais où, loin du monde ; je vous rendrais fort malheureux, je suis jalouse, je vois des monstres dans une goutte d'eau.* Pour ce qu'elle en avait compris, le livre de son arrière-grand-père racontait l'histoire d'un jeune homme nommé Adrien, fils unique à qui son père, vieux et malade, demande de revenir à la ferme familiale, à Sorel (Adrien est alors étudiant à Montréal), pour prendre sa succession. Adrien est très ennuyé car il ne veut pas devenir fermier, mais s'établir comme notaire à Montréal. À la page 44, il vient de recevoir la lettre de son père et s'apprête à confier son désarroi à son ami Séverin.

Anne-Sophie était revenue à la charge trois ans plus tard, et cette fois la lecture s'avéra plus aisée, quoique guère plus passionnante. Malgré un sincère désir de trouver du génie à « pépère Eugène » (comme l'appelait Diane, la seule de ses petits-enfants à l'avoir un peu connu), elle s'embourba aux alentours de la page 180 (le livre en faisait trois cent vingt-cinq). Le père d'Adrien était mort et la ferme familiale avait été vendue. Avec le profit de la vente le jeune homme avait acheté une part d'associé dans une étude réputée. Le notaire Bigaouette, vieux monsieur probe et sérieux, l'avait pris sous son aile, le traitant comme son dauphin, presque comme un fils. On l'invitait souvent à passer les week-ends dans le beau domaine campagnard des Bigaouette et, le dimanche, il allait avec la famille entendre la messe à l'église du village sur leur banc réservé. Adrien n'était pas insensible aux charmes de mademoiselle Aimée Bigaouette, la fille du notaire. Certains détails du texte laissaient présager qu'il ne tarderait pas à frapper un mur mais, rendue à ce point, Anne-Sophie n'avait même plus la curiosité de connaître la nature dudit mur. Ce deuxième échec n'avait toutefois nullement entamé sa piété filiale. Il était clair dans son esprit que le fait de ne pas parvenir à apprécier le talent de son célèbre aïeul découlait d'un défaut d'intelligence ou d'un manque de sensibilité artistique de sa part. Elle en avait d'ailleurs eu la preuve le jour où grand-papa Louis-Marie lui avait montré le coffre renfermant les souvenirs de son père. Elle avait alors parcouru les nombreuses coupures de presse parlant du livre d'Eugène Labelle comme d'un « admirable roman », d'une « œuvre charnière dans notre jeune littérature », ou encore d'un « constat lucide et sans complaisance d'une société ayant renié ses valeurs et ses traditions ». Le coffre contenait également de nombreuses lettres d'amis de l'auteur le remerciant chaleureusement pour l'exemplaire qui leur avait été adressé, et exprimant leur sincère admiration pour l'ouvrage. L'une des plus enthousiastes du lot provenait de ce monsieur de Saint-Denys Garneau et figurait, avait précisé grand-papa avec fierté, dans la *Correspondance générale* de ce dernier. C'est à cette occasion aussi qu'Anne-Sophie avait finalement pu contempler l'un de ces mythiques exemplaires en papier Louvain Antique. La chose – reliure en cuir, tranche rouge, titre en relief et ruban pour garder la page – avait presque aussi fière allure que dans les fantasmes d'Anne-Sophie, qui dut alors déployer de grands efforts pour refouler l'iconoclaste pensée que c'était jeter des perles aux cochons que de fabriquer un si bel écrin à une œuvre aussi assommante.

Quand, au bout de deux autres années, elle se replongea dans le rébarbatif récit, cette fois sur la recommandation de France, de tels scrupules n'étaient plus de saison. Elle avait pris confiance en ses moyens, elle avait vu neiger, elle lisait des auteurs «difficiles» et les comprenait. Non, vraiment, n'en déplaise à grand-papa, si on voulait être honnête il fallait avouer que pépère Eugène était un incommensurable raseur, un casse-couilles des ligues majeures, et son bouquin aussi indigeste qu'une grosse poutine saucisses-pastrami de la veille. Bien sûr, elle avait gardé pour elle ces blessantes vérités, elle avait répondu à sa mère qu'elle suivrait son conseil et qu'elle lirait avec plaisir ces *Monstres dans une goutte d'eau*. Elle avait mis de côté, le temps d'une soirée, sa lecture du moment et elle s'était attelée à la tâche avec la détermination résignée d'un bœuf dans son sillon, bien décidée à en finir une fois pour toutes avec cet infâme pavé. Comme on pouvait s'y attendre, les choses commençaient à tourner en eau de boudin pour Adrien aux alentours de la page 200. À partir de là des malheurs de toute sorte s'abattent sur sa tête et le laissent, à la fin, ruiné, amer et repentant. Il essuie une première déconvenue quand monsieur Bigaouette lui fait comprendre à demi-mot qu'il veut bien de lui comme successeur, mais qu'il rêve d'un meilleur parti pour sa fille. Après cet échec, Adrien se met sans transition à boire et à fréquenter les mauvais lieux. Puis il se ruine au jeu et vole ses clients pour éponger ses dettes les plus pressantes. Monsieur Bigaouette finit par découvrir la chose, et c'est alors que *the shit hit the fan,* bien que ce ne soit pas là l'expression employée par monsieur Labelle. Les cinq dernières pages sont consacrées à une grandiloquente leçon de morale de l'auteur sur le thème de la grenouille qui voulait devenir aussi grosse que le bœuf. Anne-Sophie poussa un grand soupir de soulagement en refermant le volume. Le lendemain elle fit à sa mère le compte-rendu le plus favorable que sa conscience lui permît, puis elle partit pour l'école le cœur léger, heureuse d'en être quitte à jamais avec Eugène Labelle.

S'il ne fut point prolifique comme auteur, Eugène Labelle se rattrapa de belle façon dans sa vie privée, car il n'eut pas moins de onze enfants de son épouse Angélique. Sur le lot, cinq suivirent les traces de leur père et devinrent avocats. (L'aîné, Siméon Labelle, occupait, à la fin de sa vie, le poste de juge en chef à la Cour supérieure du Québec.) Louis-Marie fut le seul garçon de la famille à ne pas étudier le droit. À l'âge de dix-sept ans, il quitta le foyer familial pour aller étudier la médecine à l'université d'Ottawa. Ses concitoyens seraient sans doute étonnés d'apprendre que ce praticien affable et dévoué avait au départ la ferme intention de passer le moins de temps possible dans un cabinet de médecine, qu'il se destinait plutôt à une carrière dans l'enseignement ou la recherche. Il s'était en effet tout de suite senti à son aise dans le cocon douillet du monde universitaire. Cette vie feutrée, faite de demandes de subventions, d'articles pour les revues spécialisées, de congrès à l'étranger et de courtoises rivalités entre collègues, convenait parfaitement à son tempérament, et c'est sans une once de regret pour les tumultes de la « vraie vie » qu'il s'apprêtait à s'y glisser. Encore une fois, s'il avait suivi son idée première, point d'Anne-Sophie aujourd'hui. Mais le destin en décida autrement. Puisqu'il n'avait pas l'intention de pratiquer, Louis-Marie aurait pu, à la fin de son cours de médecine générale, passer sans transition au cycle supérieur. Cependant il hésitait quant à la spécialité et, ne voulant pas prendre à la hâte une décision aussi cruciale, il préféra faire son internat et profiter de cette année pour réfléchir à la question. Afin de se rapprocher de sa famille, il sollicita un poste dans un hôpital montréalais, mais on l'affecta plutôt au centre hospitalier Laflèche, situé dans une bourgade du nom ridicule de Grand-Mère, à trois heures de train de Montréal. Bien décidé à ne pas y demeurer un seul jour de plus que nécessaire, il ne se donna pas la peine de chercher un appartement, se contentant de louer une chambre au Lasalle. C'est au cours de sa toute première journée de travail qu'il rencontra Rose. Elle était infirmière aux urgences depuis deux ans lors de leur rencontre et continua à occuper ce poste même après leur mariage, ce qui était inusité à l'époque. Ce n'est qu'à la naissance de Diane qu'elle cessa de travailler. Bien sûr, qu'il fût tombé amoureux d'une fille du cru ne suffit pas à expliquer sa décision de renoncer à sa carrière universitaire et de demeurer simple médecin généraliste dans une petite ville. Non, il se trouva tout simplement que Louis-Marie découvrit, à sa grande surprise, qu'il aimait pratiquer la médecine. Il aimait le contact quotidien avec les gens, il aimait se sentir utile et il aimait aussi, avouons-le, le statut de notable que lui conférait cette profession.

Après leur mariage, Rose et Louis-Marie emménagèrent dans la maison qu'ils occupent encore aujourd'hui, l'une des premières après le viaduc, sur le boulevard Saint-Onge, à cent mètres à peine de celle des Bonenfant. Pourtant, comme je le disais plus haut, il s'en fallut de peu pour que, malgré ce voisinage, France et Louis ne restassent l'un pour l'autre que de simples connaissances. Il l'avait vue des dizaines de fois, petite fille blonde et diaphane en robe fleurie, rougissant d'un rien et ne lâchant jamais la main de sa mère, qu'elle accompagnait quand celle-ci venait prendre le thé chez son amie Yvonne. Elle restait alors des heures assise, droite et silencieuse, ne desserrant les dents que pour murmurer quelque formule de politesse, grignotant un biscuit sec qu'elle s'efforçait de faire durer le plus longtemps possible de peur qu'on ne lui en offrît un autre, et donc qu'on lui accordât de l'attention. Malgré qu'elle eût le même âge que Micheline, la sœur cadette de Louis, les deux fillettes s'ignoraient superbement. Chaque matin elles attendaient l'autobus au même coin de rue sans échanger une parole, sans même se regarder. Des années plus tard, alors qu'elles seraient devenues inséparables, elles se demanderaient souvent d'où venait cette hostilité qu'elles avaient éprouvée l'une pour l'autre dans leur petite enfance. Sans doute l'insistance de leurs mères à jouer les entremetteuses (« Micheline, emmène France jouer dans ta chambre » ; « France, va donc montrer à Micheline la belle poupée que mamie t'a donnée ») y fut-elle pour beaucoup. À cet âge, tout ce qui vous est imposé, ou simplement suggéré, par votre mère tient du pensum. Louis avait dix ans quand France en avait six, aussi bien dire qu'ils appartenaient à des espèces différentes. Si un devin lui avait alors annoncé que cette insignifiante petite fille, ce bébé accroché aux jupes de sa mère, serait un jour la mère de ses enfants, il aurait été stupéfait qu'une bêtise aussi énorme pût sortir d'une bouche humaine. Leur indifférence l'un pour l'autre était si absolue qu'aucun des deux n'est en mesure aujourd'hui de se souvenir avec certitude de la première fois qu'ils s'adressèrent la parole. Même plus tard, quand France se rendrait chez les Bonenfant presque chaque jour, leurs conversations se limiteraient à de vagues échanges de taquineries. De l'aveu de Louis, les amies de Micheline formaient à ses yeux une entité qu'il ne lui serait jamais venu à l'idée de décomposer en individus distincts.

En septembre 1969, Louis Bonenfant entama son cursus d'architecture à l'Université Laval. Il avait son bac en poche et venait d'achever la première année de sa maîtrise lorsque France entra à son tour à Laval, en 1973. À l'époque, un baccalauréat (suivi d'un stage d'apprentissage de deux mille heures) suffisait à l'obtention du titre d'architecte. Mais, à l'instar de son futur beau-père, Louis se plaisait à l'université et n'était pas pressé d'en sortir. Il se passionnait pour l'histoire de l'architecture et de l'urbanisme, pour l'évolution des techniques du bâtiment et du design. Il aimait surtout la liberté absolue de la table à dessin, l'idée qu'un projet qui coûterait un milliard à réaliser ne nécessite sur le moment que de la mine et du papier. Il savait qu'une fois établi à son compte il dessinerait surtout des plans de HLM et de duplex, que ses limites seraient alors déterminées par les devis à respecter et les normes du service des incendies plutôt que par les lois de la physique et son imagination. Il devrait s'y coller un jour ou l'autre, mais il entendait repousser l'échéance le plus possible.

Pendant que Louis amassait sa documentation et discutait avec son directeur de mémoire, France entamait son baccalauréat en histoire. Elle aussi aimait l'université, et pas seulement parce que cela reculait le moment de se frotter à la vraie vie, comme c'était le cas pour Louis. En fait, elle avait aimé l'école dès son premier jour à la maternelle et sa décision de se rendre jusqu'aux études postdoctorales était arrêtée avant même qu'elle n'achevât son primaire. Elle n'avait pour ainsi dire pas de matière faible (si on excepte l'éducation physique, encore que même dans cette discipline elle ne s'aventurât que rarement sous la barre des 80%) et son parcours scolaire était parsemé d'étoiles, d'anges, de bons points et de titres d'élève de l'année. Toutes les carrières lui étaient donc ouvertes. L'histoire était sa grande passion depuis quelques années déjà, mais elle avait hésité parce que l'une des rares voies qui s'offrent à vous, après un doctorat en histoire, est l'enseignement, et l'idée de prendre la parole devant un auditoire l'amenait au bord de l'évanouissement. Au secondaire, elle avait frôlé la crise d'angoisse avant chaque gala de fin d'année. Entendre son nom retentir dans l'amphithéâtre, se lever, marcher jusqu'à l'estrade sous les regards de centaines de parents, de professeurs et d'élèves, balbutier quelques mots de remerciement, rougir, transpirer, lutter contre le vertige, regagner sa place en faisant des efforts pour avoir une démarche normale, tout ça dix fois dans la même soirée, c'était plus que suffisant pour lui faire envier les cancres. La littérature la tentait également, mais en bout de ligne cela débouchait aussi sur l'enseignement, et puis, surtout, à quoi bon s'être donné tout ce mal pour obtenir la meilleure moyenne générale de l'école si c'était pour s'inscrire au même programme que le fainéant en poncho d'alpaga qui passait son temps à dessiner dans les marges de ses cahiers et réussissait ses maths en trichant ? Elle avait un temps pensé reprendre à son compte le rêve de son père et se lancer dans la recherche médicale, mais son amour pour l'histoire l'emporta finalement. Après tout, en comptant les voyages de recherche et les sabbatiques consacrées à l'écriture de ses thèse et mémoire, elle en avait pour une bonne dizaine d'années avant qu'on ne lui donne du « docteur ». Elle avait le temps de voir venir.

Micheline lui avait donné le numéro de téléphone de son frère, insistant pour qu'elle l'appelle, lui assurant qu'il serait enchanté de pouvoir lui être utile, que ce soit pour revenir à la maison les week-ends ou pour lui servir de cicérone sur le campus ou dans la ville. Elle remercia son amie et nota le numéro, même s'il était hors de question qu'elle appelât Louis. De toute façon, il n'aurait pas pu lui être d'une grande utilité comme chauffeur car il ne venait plus alors à Grand-Mère qu'en de rares occasions. Avec les années, son centre s'était peu à peu déplacé vers Québec ; il s'y était fait des amis, une blonde et, l'été et les week-ends, il travaillait dans le cabinet d'un de ses professeurs. France ne l'avait pour ainsi dire plus revu depuis son déménagement, sinon pendant les vacances de Noël, quand il venait, avec quelques garçons du voisinage, jouer au hockey sur la patinoire que le docteur Labelle aménageait chaque hiver dans le champ derrière la maison. Il arrivait alors à France de se laisser distraire de son livre et de s'accouder à la fenêtre de sa chambre pour suivre un instant ces parties auxquelles son père participait quelquefois, portant fièrement son chandail des Gee-Gees de l'université d'Ottawa. Quand la nuit tombait, on allumait les deux lampadaires, celui de la maison et celui de la remise, et on continuait à jouer tant que l'état de la glace le permettait. Dans ses souvenirs, la figure de celui qui allait être son mari se détache nettement parmi cette bande de grands gaillards aux joues rouges se démenant comme des diables pour une partie dont on ne savait pas trop si quelqu'un comptait les points. Non qu'elle lui portât alors un intérêt particulier, seulement il était difficile de ne pas le remarquer, car il était de loin le plus hâbleur du groupe (l'expression exacte de France, que j'ai pris sur moi de gazer, est plutôt : « grande gueule »). Elle le trouvait plutôt sympathique, mais ne voyait pas ce qu'ils pourraient bien avoir à se dire dans le cas où ils se retrouveraient seuls dans une voiture pour un trajet d'une heure et demie. De toute manière il était douteux qu'il se souvînt de son existence.

Ce n'est qu'à la fin de son premier semestre qu'elle et Louis se rencontrèrent par hasard, au rez-de-chaussée du pavillon Bonenfant. Il travaillait alors à sa thèse et y passait le plus clair de son temps. Comme il y avait une cantine dans le pavillon, il arrivait souvent que la journée s'achevât sans qu'il fût en mesure de dire quel temps il avait fait dehors. Aux dires de France, il ressemblait carrément à un clochard le jour où elle buta sur lui. Le teint verdâtre, mal rasé, des poches sous les yeux, il mangeait seul à une table, lisant dans un gros volume poussiéreux quelque article au titre peu sexy, « Travaux sur la demande industrielle en matière de tenségrité appliquée à des composants du bâtiment et à la réalisation de structures », ou quelque chose dans ce goût-là. Elle hésita à l'aborder, de peur de le déranger, mais comme de sa place il avait vue sur toute la cafétéria, si elle allait simplement s'asseoir sans lui parler, il pouvait lever la tête à tout moment et l'apercevoir, auquel cas il se demanderait pourquoi elle ne l'avait pas salué en entrant. La crainte de passer pour snob la décida. Elle s'éclaircit la gorge pour attirer son attention, se sentant idiote d'être si nerveuse. Ce n'est pas comme si elle s'adressait à un grand personnage, il ne s'agissait là que du frère de sa meilleure amie, après tout. Louis se retourna et son visage s'éclaira d'un large sourire : « Eh ! Mousseline ! » Il lui avait donné ce surnom alors qu'elle avait douze ou treize ans et, lorsqu'elle avait osé demander d'où venait qu'il l'appelât ainsi, il avait répondu : « Parce que t'es trop sérieuse », ce qui ne l'avait pas avancée. Elle avait appris bien des années plus tard, au hasard de ses lectures, que Mousseline, ou Mousseline la sérieuse, était le nom qu'on donnait dans le cercle familial à Madame Royale, fille de Louis XVI et future

40

dauphine, en raison de son air mélancolique. Où avait-il été pêcher ça, lui si peu féru d'histoire, cela ne fut jamais éclairci. Niaisement touchée qu'il se souvienne du surnom dont il l'avait affublée jadis, elle lui rendit son sourire et s'apprêtait, après un bref échange de politesses, à prendre congé et à le laisser à ses importants travaux, mais Louis refermait déjà son livre et rangeait ses affaires pour libérer la place en face de lui, ce qui était difficile de ne pas considérer comme une invitation à s'asseoir. Ne voyant pas comment faire autrement, France posa son plateau et prit place à la table.

Louis a toujours eu le don de mettre les gens à l'aise et, si vous vous trouvez à court, il se charge volontiers de la conversation en faisant semblant de ne pas s'apercevoir qu'il est le seul à parler. Il l'interrogea sur ses cours, lui parla des siens, lui demanda comment elle aimait la ville, s'enquit de sa famille, etc. Au bout de quelques minutes la glace était brisée et ils papotaient comme deux vieux amis. Avant qu'elle ne parte, il lui renouvela les offres de Micheline, précisant qu'il descendait justement le vendredi suivant. Alors si elle voulait un lift… Elle accepta et ils convinrent d'un rendez-vous. Après le départ de France, Louis demeura un moment songeur. Pourquoi venait-il de dire qu'il projetait de descendre à Grand-Mère en fin de semaine, alors que cela était faux ? Non seulement il n'en avait jamais eu l'intention, mais la chose était impossible : vendredi il travaillait toute la journée et samedi matin il partait pour Cap-à-l'Aigle avec Manon, passer quelques jours dans la famille de celle-ci. Bon, il avait eu un moment de distraction. Le lendemain il appellerait France et lui dirait qu'il était désolé, qu'il avait parlé trop vite, et puis voilà. Seulement, au lieu d'appeler France il appela son patron et obtint qu'on réaménageât son horaire de manière à ce qu'il fût libre le vendredi ; ensuite il annonça à Manon qu'il n'irait pas dans

Charlevoix avec elle, qu'une circonstance imprévue le forçait à passer la fin de semaine dans sa famille. Quelle circonstance imprévue ? Heu… eh bien… ses grands-parents maternels, qu'il voyait rarement, étaient en visite chez ses parents, et comme ils n'allaient pas en rajeunissant… Il s'écoutait avec perplexité mentir à sa petite amie, se demandant pourquoi diable il agissait ainsi. La vérité était pourtant innocente : il avait rencontré par hasard une amie de sa sœur, ils avaient parlé ensemble du bon vieux temps, cela lui avait donné le mal du pays et fait réaliser qu'il y avait longtemps qu'il n'avait pas vu sa famille. Le genre de chose que Manon aurait comprise. Maintenant, ne manquait plus qu'elle lui téléphone chez ses parents, qu'elle tombe sur sa mère et qu'elle s'enquière de la santé des grands-parents Allard. Non, franchement, qu'est-ce qui lui prenait d'inventer des histoires ?

Il passa prendre France à l'heure dite à son appartement de la rue Myrand. Elle était assise sur le perron de son immeuble, plongée dans un bouquin, son bagage à ses côtés et un thermos à ses pieds, lorsqu'il se gara devant chez elle. Elle était si prise par sa lecture qu'elle n'avait pas entendu le moteur de la voiture. Il en profita pour l'observer quelques minutes, en fait aussi longtemps que sa conscience le lui permit, puis il sortit de l'auto et la salua joyeusement. Il lui demanda si elle ne voyait pas d'objection à passer par la « vieille route », c'est-à-dire le chemin du Roy (à qui, en 1973, on ne donnait du « vieille route » que depuis peu). La beauté du paysage, arguat-il, compensait bien la longueur du trajet. Il n'en pensait rien. Contrairement à la plupart des garçons de son âge, il considérait les déplacements en automobile comme un mal nécessaire, qu'il s'efforçait d'abréger quand il ne pouvait les éviter. Mais Louis était plein de ressources, aussi parvint-il assez aisément à se convaincre que ce projet d'emprunter le chemin du Roy n'était en rien motivé par le désir de passer davantage de temps avec sa jeune voisine. Le fait est qu'on pouvait y admirer, en quelques endroits, des maisons datant du Régime français et présentant un intérêt certain du point de vue de l'architecture. Seulement voilà, lorsque trois heures et demie plus tard (il avait roulé lentement, cela aussi allait contre ses habitudes) il déposa France devant le domicile des Labelle, il fut bien obligé de reconnaître qu'il n'avait pas fait l'aumône d'un regard à la moindre demeure ancestrale.

France fait partie de ces gens dont on dit, en les voyant sur des vieilles photos, qu'ils ne changent pas d'un poil. L'ayant pour ma part rencontrée pour la première fois alors qu'elle entamait sa cinquantième année, je n'ai eu aucun mal à l'identifier sur sa photo de groupe de première année. Louis la retrouvait telle qu'il l'avait toujours connue, pâle et menue, belle si on veut, mais d'une beauté si discrète, si austère qu'il fallait s'arrêter et y réfléchir pour s'en rendre compte, Elle était belle comme un conte de Flaubert ou une icône russe du XVe siècle. Une beauté pour connaisseurs, pourrait-on dire. Oui, c'était bien la petite Mousseline qu'il s'amusait à faire rougir jadis en lui supposant des liaisons avec des garçons du voisinage, seulement il avait l'impression de la regarder vraiment pour la première fois. Ce fin réseau de veines bleues sur sa tempe, ce duvet sur sa nuque, cette cicatrice de varicelle, ces quelques taches de rousseur sur l'arête du nez, ce geste qu'elle faisait du tranchant de la main pour ponctuer ses propos lorsqu'elle s'animait, tout cela était inédit pour lui et tout cela l'émerveillait à un degré qui aurait dû l'alarmer. Si Louis tombait rarement à court d'expédients lorsqu'il s'agissait de jouer au plus fin avec sa conscience, cela n'allait toutefois point jusqu'à la mauvaise foi. En temps normal, il aurait déjà admis, à ce stade, qu'il commençait à « avoir quelque chose » pour la petite Labelle. Mais il y avait

Manon, qu'il fréquentait depuis deux ans et avec qui il devait emménager à l'été. Le mot « fiançailles » flottait entre eux depuis peu et monsieur Castonguay s'était mis à lui donner du « le gendre ». Dans ces conditions il n'avait d'autre choix que de se livrer à l'exercice hautement schizoïdique suivant : faire comme si ce « début de quelque chose » qu'il éprouvait pour sa voisine n'existait pas, tout en s'efforçant de tuer dans l'œuf ledit quelque chose. Un peu comme les soviétiques qui, tout en clamant que le communisme avait fait disparaître la criminalité, n'en disposaient pas moins d'un imposant service de police pour réprimer cette criminalité inexistante.

Il fut accueilli chez lui comme le fils prodigue ; sa mère, avertie la veille seulement de son arrivée, s'était mise en quatre pour lui préparer son dessert préféré. Il se sentait vaguement coupable de ce que cette effusion ne fût pas tout à fait réciproque. Il était bien sûr heureux de revoir les siens, mais il ne pouvait s'empêcher de compter les heures (les minutes) le séparant du moment où il irait prendre France chez elle pour rentrer dans la capitale. À défaut il aurait voulu parler d'elle, prendre Micheline à part et la presser de questions sur son amie, lui soutirer jusqu'au plus infime détail biographique la concernant. Mais il se défiait beaucoup trop de lui-même, et surtout il se défiait beaucoup trop de la perspicacité de sa sœur pour aborder le sujet aussi franchement. Il se contenta de rapporter, sur un ton aussi détaché que possible, sa rencontre inopinée avec France. Même cela sembla mettre la puce à l'oreille de Micheline qui, l'interrogeant sur la santé de Manon, ponctua sa question d'un sourire légèrement narquois. Ou bien était-ce de la paranoïa ? Par la suite Micheline affirmerait qu'elle avait toujours su qu'ils étaient faits l'un pour l'autre et qu'elle machinait de longue date leur rencontre. Mais on dit bien des choses après coup.

Il avait coutume d'aller marcher avant de se coucher. Cette fois-là, au lieu de se rendre jusqu'au Rocher par la Sixième, sa promenade favorite, il prit le boulevard Saint-Onge en direction de Sainte-Flore, de manière à passer devant chez les Labelle. Il voulait vérifier s'il y avait encore de la lumière à la fenêtre de France, lorsqu'il se rendit compte qu'il ne s'était jamais soucié de connaître l'emplacement de sa chambre. Il savait que le docteur et sa femme dormaient au rez-de-chaussée, et on pouvait supposer qu'à cette heure Alexandre et Caroline étaient au lit depuis longtemps. Il y avait donc une chance sur deux, estimait-il, pour que la lumière qu'il apercevait à l'étage soit la chambre de France (Diane étudiait à Montréal à cette époque, mais elle aussi pouvait revenir les week-ends). Arrivé à la Cinquantième, il prit à gauche jusqu'à la Trente-Cinquième et marcha jusqu'à la hauteur du cimetière et du terrain de golf, puis il rebroussa chemin. Lorsqu'il repassa devant la demeure des Labelle, la lumière à l'étage était éteinte.

Pendant le trajet ils avaient parlé, entre autres, de leurs lectures et elle lui avait suggéré (« T'as pas lu ça ? Il faut ab-so-lu-ment que tu lises ça ! », chaque syllabe du « absolument » soulignée d'une manchette dans le vide) de se plonger sans tarder dans *Le tour d'écrou* de Henry James. Après une demi-heure passée à citer leurs livres préférés dans l'espoir de se trouver une inclinaison commune, ils en étaient venus à la conclusion que, bien qu'étant tous deux des lecteurs avides, leurs goûts en cette matière divergeaient du tout au tout. Louis aimait ce qu'on appelait alors la paralittérature. Il raffolait des vieux récits policiers, ceux de Wilkie Collins, Arthur Conan Doyle, Gaston Leroux, Maurice Leblanc, etc. Il ne dédaignait pas de descendre plus bas dans la chaîne alimentaire littéraire et avait lu à peu près tous les feuilletonistes, les quasi fréquentables comme Eugène Sue, mais aussi les pisse-copies comme

Ponson du Terrail et Paul Féval. La science-fiction le laissait froid en général, quoiqu'il vouât un véritable culte à Philip K. Dick. Mais il aimait par-dessus tout les histoires de revenants ; c'est pourquoi France avait pensé que *Le tour d'écrou* constituerait probablement un point de contact entre leurs deux univers. Si elle n'était point, pour sa part, férue de spectres, elle l'était de Henry James. En fait, elle avait une prédilection pour presque tous les romanciers ayant eu à se défendre, à un moment ou à un autre de leur carrière, contre l'épithète d'« esthétisant ». De James, elle préférait les romans de la dernière période, ceux que la plupart de ses contemporains avaient jugé illisibles, avec leurs phrases longues, louvoyantes et compliquées, leurs analyses psychologiques subtiles à l'extrême et leurs personnages aux motivations difficiles à cerner, trop intelligents pour leur bien. Elle plaçait Proust au-dessus de tout, respirait à l'aise dans l'atmosphère étouffante des grands auteurs russes et elle éclatait de rire, seule dans l'autobus, en lisant *Le château* de Kafka.

Lorsque plus tard leurs deux bibliothèques fusionneraient pour former ce qui serait aux yeux d'Anne-Sophie la bibliothèque familiale (occupant deux murs entiers du « petit salon », dans leur maison de la Dix-Huitième Avenue), son caractère hétéroclite lui sauterait aux yeux malgré son jeune âge. Certain jour où France serait prise de la fantaisie de classer les volumes par ordre alphabétique, Milan Kundera devrait se résigner au voisinage de Stephen King, Dostoïevski à celui de Philip K. Dick, Émile Zola à celui de Roger Zelazny ; le plus malheureux serait sans doute ce pauvre Racine, qui se verrait attribuer comme compagnon de tablette Sax Rohmer, créateur du maléfique docteur Fu Manchu. Leurs engouements communs (Boris Vian, Mark Twain, Edgar Poe) se compteraient sur les doigts d'une seule main. Les premières fois qu'Anne-Sophie irait y fureter, vers l'âge de sept ou huit ans, elle s'intéresserait plutôt aux livres de son père (les couvertures blanches de Gallimard ne faisant évidemment pas le poids face aux grand-guignolesques illustrations ornant les ouvrages de H. P. Lovecraft ou de Ray Bradbury), pour glisser, petit à petit, vers ceux de sa mère.

Mais en ce samedi de novembre 1973, la fusion de leurs collections de livres n'était point à l'ordre du jour. Pour le moment, tout ce que Louis souhaitait c'est qu'on fût déjà dimanche après-midi. Comme il fallait bien tuer le temps en attendant, il se mit en quête de ce *Tour d'écrou,* songeant (mais en se gardant bien de le formuler) que passer du temps en compagnie de l'un des auteurs favoris de France revenait un peu à passer du temps avec elle. Contre toute attente, il dénicha l'œuvre chez Sauvageau, sur la Cinquième, à Shawinigan. Il fut un peu déçu par sa minceur. Il s'agissait plutôt d'une longue nouvelle que d'un véritable roman, il en aurait pour une heure à tout casser, et encore, à condition de lire lentement.

L'histoire le laissa perplexe. Il trouva la prose du maître un brin trop luxuriante, ses phrases un peu trop belles pour leur usage, et il dut relire certaines d'entre elles attentivement pour en extraire tout le sens. Mais ce qu'il reprochait surtout à monsieur James, c'était que son histoire de fantômes refusait de s'assumer en tant qu'histoire de fantômes, justement. Il détestait les romans dans lesquels les manifestations surnaturelles trouvaient, à la toute dernière page, une explication naturelle tirée par les cheveux. Rien de tel ici, seulement un agaçant parti pris de neutralité, un refus de prendre position qui laissait le lecteur sur sa faim. Il décida de ne plus y penser et d'aborder la question avec France quand il irait la prendre, le lendemain après-midi. Puis il se ravisa : cela ne serait-il pas se commettre que d'avouer qu'il s'était précipité sur le livre qu'elle lui avait suggéré ?

Mais dès qu'elle prit place à ses côtés dans la voiture (les vingt-quatre heures le séparant de ce moment finirent par s'écouler), cette crainte lui sembla hors de propos, puérile pour tout dire. Il sentait, sans se l'expliquer, qu'il pouvait quitter son armure impunément en sa compagnie. La question de la nature des apparitions dans *Le tour d'écrou* fut abordée, mais il en fut pour ses frais car, plutôt que de répondre clairement, elle lui servit un petit cours de littérature sur le thème de la «focalisation». Au bout du compte, s'il comprenait bien ses explications, James lui-même aurait sans doute été incapable de dire si le couple de domestiques était réellement revenu d'entre les morts. Pire : il n'y attachait semble-t-il aucune importance, ce qui était pour le moins exaspérant. Puis ils parlèrent de choses et d'autres et, encore une fois, bien qu'on empruntât la route la plus longue et qu'on respectât scrupuleusement les limites de vitesse, le trajet sembla durer le temps d'un soupir. Aux approches de Sainte-Foy, il sentit son cœur se serrer. Il ignorait quand il la reverrait. Depuis sa première année d'université, il ne lui était arrivé que rarement d'aller dans sa famille deux semaines de suite. Les vacances de Noël tombaient dans moins de trois semaines, ce qui lui donnerait un bon prétexte, mais tout ce temps sans la voir ! Il songea un instant à l'inviter au cinéma ou à prendre un verre quelque soir de la semaine suivante, mais il sentit qu'il aurait été incapable de formuler son invitation d'un ton naturel. Surtout, il aurait eu l'impression de commettre une grave transgression. Il n'y a rien de mal à ce qu'un garçon ayant une petite amie rende service à une vieille connaissance en lui servant de chauffeur, mais l'inviter au cinéma est déjà beaucoup moins innocent. À ce sujet, il redoutait sa prochaine rencontre avec Manon. Elle devinerait tout de suite que quelque chose ne tournait pas rond. Son crime lui semblait aussi patent que s'il en portait la lettre marquée au fer rouge dans sa chair, comme un forçat. Se remémorer les sages paroles de messieurs Sartre et Camus, selon lesquels l'homme se définit par ses actes et qu'à tout prendre il n'avait rien *fait,* ne lui apportait aucun réconfort ; le pouvoir de consolation des philosophes morts a ses limites.

Mais Manon ne s'aperçut nullement de son désarroi. Elle se jeta à son cou dès qu'il mit le pied dans l'appartement. Il lui avait manqué, elle avait préparé un bon repas et acheté du vin. Elle portait son t-shirt troué de *Dark Side of the Moon* qu'il trouvait si sexy. Une semaine plus tôt à peine, toutes ces attentions lui auraient procuré un sentiment de contentement voisin de la fatuité, mais dans les circonstances, elles ne provoquèrent en lui que culpabilité et commisération. C'est à ce moment précis que Louis comprit que c'était fini avec Manon. Il n'en était toutefois pas à mettre la fin de son amour sur le compte de son béguin (pourquoi ne pas appeler un chat un chat, rendu à ce point ?) pour France. Non, ce *léger* béguin n'était en fait que le symptôme d'un mal plus profond. Ces derniers mois, Manon et lui s'étaient éloignés insensiblement l'un de l'autre, et voilà que ça lui sautait au visage. Elle-même en conviendrait et leur rupture se ferait en douceur. Cette version pouvait passer pour convaincante, à condition de ne pas y regarder de trop près. (En fait, il semble que la rupture ne se soit pas si bien passée ; les choses tournèrent quelque peu à l'aigre. Mais nous n'en saurons pas plus : le sujet est, encore aujourd'hui, pénible à Louis.) Il n'eut évidemment pas le cœur (les couilles) de provoquer une discussion ce soir-là. Il fit ce qu'il fallait pour que tout se passe bien et vécut ainsi la soirée la plus éprouvante de son existence.

En ce qui concerne France, Louis avait tort de croire qu'elle n'avait pas songé à lui une seule seconde de toute la fin de semaine. Elle avait passé le samedi en compagnie de Micheline, et elle aussi avait brûlé de lui parler de son frère. Elle, si réservée d'ordinaire, s'étonnait de s'être sentie si vite à l'aise avec lui. Elle avait été charmée par leur conversation et elle aurait bien aimé savoir si cet enthousiasme était réciproque ou si, comme elle avait tendance à le soupçonner, Louis était simplement comme ça avec tout le monde. Elle avait été troublée, mais pas autant que lui, pas au point de passer sous ses fenêtres à minuit. N'ayant point de petit ami, donc personne à trahir, elle n'avait pas à combattre son sentiment, et un sentiment que l'on n'a pas à combattre perd beaucoup de sa puissance. L'attente fut en conséquence moins fébrile de son côté, mais leurs retrouvailles du dimanche lui causèrent tout de même un vif plaisir. Quand, à peine deux minutes après leur départ, il lui parla du *Tour d'écrou,* elle fut heureuse de constater qu'il avait lu le livre qu'elle lui avait suggéré. Elle répondit de son mieux à ses questions – l'œuvre l'avait apparemment laissé perplexe – et, comme cela lui arrivait quelquefois lorsqu'un sujet la passionnait, elle s'anima et, comme il arrivait chaque fois qu'elle s'animait, elle devint confuse quand elle s'en rendit compte. Elle eut peur qu'il la prît pour une pédante avec ses histoires de focalisation et de narrateur subjectif, mais non, il semblait au contraire l'écouter avec intérêt, ce qui la rassura.

Elle ressentit également un petit pincement au cœur quand il la déposa devant son immeuble. Elle savait qu'il avait tendance à espacer ses visites dans sa famille, mais elle réserva tout de même sa place pour le prochain voyage, c'est-à-dire dans trois semaines, pour les vacances des fêtes. Il l'appellerait un peu avant pour confirmer. Il l'appela en fait trois jours plus tard pour lui dire que, tout compte fait, il avait l'intention de descendre à nouveau à Grand-Mère ce week-end, et que si elle était partante, la place du passager lui appartenait. Elle accepta avec empressement et passa le reste de la journée à chantonner et à rêvasser.

Ils s'arrêtèrent en route pour manger une bouchée. Ils dénichèrent un casse-croûte dans le coin de Deschambault, où ils commandèrent des hot-dogs et des frites qu'ils mangèrent dans la voiture, en contemplant le fleuve. Ils entretenaient une vague conversation, mais ce qu'ils se disaient n'avait pas d'importance, ils goûtaient simplement le plaisir d'être ensemble.

France ne savait toujours pas quel nom donner au sentiment qu'elle éprouvait pour Louis, mais elle se rendait compte maintenant que ce sentiment, quel qu'il fût, était réciproque. Certains signes ne trompent pas. Elle y verrait plus clair si elle se confiait à Micheline, et tant pis si cette dernière était incapable de tenir sa langue. Quand elle téléphona à son amie, le samedi après-midi, celle-ci sembla étonnée : « T'es où, là ?

– Bin, chez nous.

– Je pensais que t'avais pas de lift pour descendre. T'as pris la bus, finalement ?

– Non, voyons, je suis venue avec ton frère. Je pensais qu'il te l'avait dit.

– Louis est pas descendu en fin de semaine. Il travaillait. »

Louis se doutait bien que cette conversation aurait lieu et qu'au moment où il irait chercher France, le dimanche après-midi, son stratagème serait éventé. France saurait qu'il s'était tapé deux allers-retours en Mauricie en l'espace de quarante-huit heures simplement pour passer du temps avec elle, ce qui revenait à une déclaration. La question qui tarabustait Louis, alors qu'il traversait le pont de Grand-Mère, était de pure logistique : on peut répondre à une déclaration de deux façons, par oui ou par non ; après un oui, la conduite appropriée consiste à embrasser tendrement la personne qui vient de vous déclarer sa flamme ; après un non, le mieux à faire est de quitter au plus vite cette personne, de manière à ne point faire durer le malaise. Deux actions difficiles à exécuter dans un véhicule en marche. Une solution consisterait à parler de choses et d'autres pendant le trajet et de n'aborder le sujet crucial qu'au moment de se quitter. Mais il ne se sentait pas la force d'affronter une situation à la « je sais que tu sais que je sais que tu sais ». Il n'avait toujours pas trouvé de solution quand il se gara dans l'allée des Labelle. Heureusement, France s'était livrée aux mêmes réflexions de son côté et elle s'était arrangée pour que l'explication ait lieu sur le plancher des vaches. Elle fit dire par son père qu'elle n'était pas encore prête et on invita Louis à entrer. Dès qu'il fut dans la maison elle lui lança, depuis l'étage, de venir la rejoindre dans sa chambre. Et voilà, la déclaration pouvait avoir lieu. Elle prit la forme qu'il avait imaginée : « Qu'est-ce que t'as fait de bon ces derniers jours ?

– J'ai travaillé. On avait de l'ouvrage par-dessus la tête au bureau.

– T'avais pas dit que tu voulais passer la fin de semaine à Grand-Mère ?

– Non, j'ai dit que je voulais *descendre* à Grand-Mère en fin de semaine. C'est pas pareil.

– Pourquoi tu voulais descendre ?

– D'après toi ? »

C'était clair. Ne restait qu'à attendre le oui ou le non. Ce fut un oui. Ce fut un baiser. Et Anne-Sophie devenait possible.

À force de fignoler ta version des faits, tu en étais venu à te convaincre toi-même que les choses s'étaient réellement passées comme tu aurais voulu qu'elles se passent. À t'en croire, à la seconde où tu l'avais vue, tu avais décelé en elle toutes ces qualités qui (à ton avis) la distinguent du commun. Je n'y vois aucune malice. Après tout, ce monde n'est pas si génial pour qu'on l'accepte tel quel, sans apprêt. Il n'y a pas de mal à arranger un peu la réalité. Cependant, si tu voulais être honnête, tu admettrais que tu l'avais à peine remarquée lors de votre première rencontre. Et comme dans l'honnêteté il n'y a pas que le premier pas qui coûte, un coup parti tu pourrais bien avouer que maintenant que tu l'as « remarquée », toutes ces choses que tu vois briller en elle, c'est un peu (beaucoup ?) toi qui les y a mises. Comprends-moi bien : c'est un beau brin de fille, Anne-So, et elle n'est certainement pas plus bête qu'une autre, mais bon, ce n'est somme toute qu'un canevas de plus pour cette œuvre que tu peaufines depuis la petite école : ta Fille Idéale. Regarde-moi dans les yeux et dis-moi le contraire.

Il faut quand même te donner ça : toi qui avais pris l'habitude, ces dernières années, de tout bâtir à partir de rien, le fait que pour changer tu utilises comme matériau de base une fille de la « vraie vie » constitue déjà une amélioration. Tiens, si ça se trouve, ton complexe de Cendrillon est en rémission, ce qui serait une bonne chose, parce qu'avec ton complexe de Peter Pan qui a plutôt tendance à s'aggraver, tu te trouves à cumuler les maladies mentales portant le nom d'un personnage de dessin animé de Walt Disney. Rien pour faire son frais.

Si tu ne l'as pas immédiatement distinguée de la masse en ce jour d'avril où elle s'est arrêtée à ton kiosque, accompagnée de son amie Laurence et de sa cousine Frédérique, c'est premièrement parce que tu as surtout flashé sur cette dernière (ce qui est dans l'ordre des choses : la plupart des garçons flashent sur Frédérique, avec sa peau mate, ses t-shirts ajustés et ses cheveux à la Pocahontas), mais la principale raison c'est qu'à l'époque tu étais sur un autre dossier, pour employer une expression un peu triviale. Le dossier «Agathe». Tu te souviens ?

Au moins tu n'as pas eu l'impudence de pousser le révisionnisme jusqu'à prétendre que c'est le prestige de ton nom qui l'avait poussée à s'arrêter à ton kiosque ce jour-là, comme quoi même les écrivains de troisième ordre savent d'instinct jusqu'où on peut pousser la vraisemblance sans rompre l'illusion. Non, simplement il y avait une file d'attente monstre à la table de ton voisin, Geronimo Stilton, la souris détective, ce qui bloquait complètement le passage. Tu en profitais indirectement car, si la plupart des gens rebroussaient chemin devant ce mur compact de préadolescents, certains optimistes restaient à attendre quelques minutes, dans l'espoir vite déçu que ça se calme. Pendant ce temps, pour se donner une contenance, ils considéraient ton présentoir, prenaient un livre sur la pile, lisaient le résumé au dos en hochant la tête d'un air approbateur, le feuilletaient ; quelques-uns te posaient de judicieuses questions sur l'œuvre et sa conception. Ceux qui allaient jusque-là se sentaient généralement mal de repartir sans acheter, ainsi, depuis le début de ta séance, tu avais déjà signé huit exemplaires à huit quidams qui seraient sans doute passés sans te voir, n'eût été cette brave souris détective.

Anne-Sophie, Laurence et Frédérique s'apprêtaient à rentrer. Tu avais remarqué cette dernière de loin. Elle se frayait un chemin dans la foule, discutant avec ses deux compagnes (une brune et une blonde sans signes distinctifs), tenant contre sa poitrine un livre qu'elle venait d'acheter, et tu te disais que tu aurais bien donné un litre de ton sang pour changer de place avec ce bouquin. Elles se sont arrêtées quelques secondes pour consulter leur plan du site puis, après conciliabule, se sont engagées dans ton allée qui, en temps normal, eût effectivement constitué le chemin le plus direct vers la sortie. Lorsqu'elles butèrent sur la file devant le kiosque de Geronimo, la créature de rêve et son amie aux cheveux bruns jaugèrent l'obstacle, essayant de repérer un éventuel point faible. La blonde, se désintéressant de l'affaire, jeta un œil distrait de ton côté et se pencha sur ta pile de livres. Vos regards se croisèrent et elle te gratifia d'un pâle sourire. À cette étape, la plupart estiment nécessaire de briser la glace en posant quelque question du genre : « Vous êtes l'auteur ? » (Réponses admises : « En effet » ou « Oui, je suis l'auteur » ; réponses à proscrire : « Qu'est-ce qui vous fait croire ça ? » ou « Vous êtes drôlement perspicace ! Vous travaillez pour la police, hein ? ») Apparemment la blonde ne ressentait pas le besoin de briser la glace et elle se plongea dans le résumé de ton bouquin sans plus t'accorder d'attention. Pendant qu'elle examinait ton œuvre, tu l'examinais. C'était de bonne guerre, et puis de toute façon elle se tenait maintenant entre toi et Frédérique, t'empêchant de contempler cette dernière.

Elle était belle, peut-être même très belle, mais d'une beauté qui n'enflamme point l'imagination. Une beauté saine, éclatante, sans aspérité – un peu fade pour tout dire. Le genre de fille qu'on est heureux de présenter à ses parents, mais pour laquelle on n'irait pas se jeter d'un pont. En tout cas, elle n'offrait aucune ressemblance avec Agathe ou encore avec ton idéal hollywoodien du moment, Ellen Page, tare frôlant le rédhibitoire. Elle ressemblait un peu, avec ses longs cheveux raides, ses grands yeux bleus et sa figure pleine, à Hilary Duff dans son époque post-Lizzy McGuire. Telles furent à peu près tes remarques préliminaires au sujet de mademoiselle Anne-Sophie Bonenfant. Il faut dire que ton stupide romantisme de clair de lune te faisait considérer comme au-dessous de ta dignité de t'éprendre d'une fille dont un autre eût pu s'éprendre. Tu t'imaginais que cela était le fait d'un esprit vulgaire que de s'intéresser à celles dont les appas étaient trop évidents. Pour te plaire il fallait évidemment qu'une fille soit sublime – on ne se mouche pas du coude –, mais sublime d'une manière insensible à la majorité, qu'elle soit belle mais que sa beauté soit comme un code dont seul tu posséderais la clé. Tu voulais que ta Fille Idéale soit comme la nouvelle toge de l'empereur (« Seuls les sages peuvent la voir, sire, les sots ne le peuvent ») ou encore comme la lettre volée d'Edgar Poe, invisible pour tous, évidente pour un seul. « Eh ! Ça se passe à Grand-Mère ?

– Quoi ?

– Ton livre. Ça se passe à Grand-Mère ?

– Oui, oui. En partie.

– Tu viens de là ?

– Oui.

– Moi aussi. »

Cette fois vous avez échangé un sourire franc et tu as instantanément cessé de la soupeser, d'essayer de lui attribuer un rang dans la chaîne alimentaire. Ce n'était plus une simple passante sur laquelle tu pouvais t'amuser à exercer tes facultés d'analyse pour tuer le temps, c'était une fille qui avait joué dans les mêmes parcs que toi, marché dans les mêmes rues en revenant de l'école ; une fille que son papa avait emmenée, petite, voir les bébés animaux à la ferme de Pâques de la Plaza et manger au McDonald's près du Centre des Arts ; quelqu'un qui avait peut-être participé au Super Bicycross de Sainte-Flore ; quelqu'un qui, à l'âge de quatorze ans, était allée à la Saint-Jean avec ses amies et s'était assise de l'autre côté de la rivière de peur de tomber sur ses parents ; quelqu'un qui avait peut-être rangé ses livres dans la même case que toi à la poly. Cela suffisait à dissiper l'extrême timidité qui s'empare de toi chaque fois que tu te trouves à proximité d'une jolie fille, même d'une jolie fille qui n'est pas ton genre. Vous vous êtes aussitôt lancés dans la traditionnelle recherche de connaissances communes, exercice plutôt facile malgré la différence d'âge. Si Grand-Mère n'est pas exactement l'une de ces petites villes dont on peut dire que « tout le monde y connaît tout le monde », il est cependant rare qu'on trouve plus d'un degré de séparation entre deux de ses habitants. Il n'existait, du moins à sa connaissance, aucun lien de parenté entre sa famille et les Bonenfant de la boucherie, elle n'était donc pas une cousine de cette Nathalie Bonenfant de laquelle tu avais été amoureux au primaire. Elle avait eu ton père comme prof de français en 3e secondaire (« T'es pas le gars à Claude ! Bin voyons donc ! Comment qui va, Claude ? »), et son grand-père maternel (Louis-Marie Labelle) avait été ton médecin de famille jusqu'à sa retraite. Elle était la petite sœur de cet Émile Bonenfant qui avait un temps frayé avec ta plus jeune sœur. Vous auriez pu continuer longtemps comme ça, si ce n'était que ses deux compagnes commençaient à s'impatienter. Pendant votre conversation, elles avaient renoncé à franchir l'obstacle constitué par le lectorat de Geronimo Stilton et avaient convenu d'emprunter un autre itinéraire pour atteindre la sortie. « Arrive, Anne-So !

– *Minute ! Bon, ça a l'air qu'il faut que j'y aille.*

– *Je vois ça.*

– Bon, c'est où que je paye ?

– Payer quoi ?

– Ton livre. À moins que tu me le déconseilles... Au fait, est-ce que c'est bon ?

– Bin... heu... sais pas, j'imagine que ça dépend des goûts. Anyway, au prix que ça coûte, tu devrais l'emprunter à la bibli.

– Wow ! T'es bon vendeur, c'est effrayant ! Là, c'est clair : ça m'en prend un. »

Vous avez échangé un regard amusé, puis tu lui as indiqué la caisse. Même si elle ne te cachait plus Frédérique, c'est quand même elle que ton regard a suivi pendant qu'elle attendait son tour pour payer sous la tente Dimedia, et déjà tu te demandais comment diable tu avais pu ne point la distinguer de prime abord. La transaction effectuée, elle est revenue vers toi et t'a tendu son exemplaire pour une dédicace. Ça n'était pas trop ton fort les dédicaces, tu n'en voyais pas très bien l'intérêt et surtout, même après quelques années dans le « métier », tu n'étais toujours pas certain de ce qu'il convenait d'écrire dans ces occasions. « Qu'est-ce que tu veux que je t'écrive ?

– Ah ! Il faut que je fasse ma propre dédicace ? C'est un concept original.

– Non, excuse, c'est niaiseux. C'est juste que j'ai jamais d'inspiration pour ces affaires-là.

– Écris tes coordonnées, tiens. Comme ça je pourrai demander un remboursement pour publicité frauduleuse si c'est pas aussi bon que tu le prétends. »

C'était une simple boutade, mais tu l'as prise au mot ; sous les formules habituelles, tu as inscrit : « Pour d'éventuelles doléances écrire à... » et tu avais ajouté ton adresse. Elle t'a remercié, t'a gratifié d'un sourire chaleureux puis est allée rejoindre ses compagnes. Tu as éprouvé un léger vague à l'âme en la voyant disparaître dans la foule. Oh ! imperceptible, le vague à l'âme, le même qu'on ressent chaque fois qu'on croise une jolie fille qu'on ne reverra plus. Tu as passé le reste de ta séance à te rejouer le film de cette rencontre dans ta tête, essayant de déterminer l'impression que tu avais pu lui faire. À bien y penser, l'idée d'inclure ton adresse dans la dédicace n'était pas des plus heureuses. Ça passerait sans doute pour une invitation. Bon, c'en était une, d'accord, mais tu n'avais aucune envie de l'admettre.

Situé un poil au sud du 50e parallèle, à mi-chemin entre Matagami et la frontière ontarienne, Kipaowé ne comptait que trois cents habitants permanents à l'époque où la famille Bonenfant y vivait. Les autres, les mille sept cents et quelques travailleurs qui composaient le personnel de la mine, y résidaient de manière cyclique. La plupart effectuaient des contrats de six mois, retournaient dans le sud dépenser leurs payes et toucher leurs allocations d'assurance-chômage, puis « remontaient » à Kipaowé pour six autres mois. Pendant leur séjour, ils louaient par groupe de quatre, parfois cinq, un des nombreux pavillons préfabriqués appartenant à la Noranda Mines Limited. L'essentiel du village était constitué de ces habitations temporaires, toutes identiques, ce qui lui donnait un peu l'aspect d'un camp militaire. Chaque rue portait un numéro (de 1 à 11) et était bordée de trente pavillons, les trois premières constituant ce qu'on pourrait appeler le ghetto indien. La mine étant située en territoire algonquin, une entente avait été conclue, stipulant qu'au moins un tiers des emplois devaient être occupés par des membres de cette communauté. Cela faisait quelque chose comme cinq cents postes et, comme la population autochtone des environs suffisait à peine à fournir le quota minimal de travailleurs, il était à peu près impossible de congédier l'un d'eux en cas de manquement. Certains abusaient de la situation, ce qui provoquait de fréquentes tensions – dégénérant parfois en escarmouches – avec leurs collègues blancs. Les deux communautés ne se fréquentaient point hors de la mine ; les Blancs buvaient à l'hôtel tandis que les Indiens avaient réquisitionné l'ancien hangar à avions, qu'ils avaient transformé en salle communautaire. On fréquentait la même église, mais on allait entendre la messe à des heures différentes.

À l'extrémité ouest, de l'autre côté de la rivière, se trouvait le « noyau dur » de Kipaowé, c'est-à-dire les quelques établissements du lieu : l'hôtel, le magasin général, le dispensaire, la petite école en briques rouges et, trônant sur une élévation de terrain, l'église de Kipaowé, consacrée à Notre-Dame-du-Perpétuel-Secours. De fait, l'église était le seul bâtiment de l'endroit à porter un nom officiel. L'école était simplement « l'école de Kipaowé », et pour ce qui était de l'hôtel et du magasin général, à quoi cela aurait-il servi de les nommer ? Pour les distinguer de quel autre hôtel ? de quel autre magasin général ? On les désignait, à la rigueur, du nom de leur propriétaire, ainsi on allait faire ses courses chez O'Neil et on allait boire chez Bédard. Ce noyau dur comprenait également les seules véritables maisons du village, occupées par les dirigeants de la mine et leurs familles et par les quelques autres « notables », c'est-à-dire les personnes officiant dans les établissements susmentionnés.

Lorsque la Noranda Mines Limited se fit octroyer une concession, en 1940, pour y creuser une mine et y construire une fonderie de cuivre, les Anishinabeg désignaient le lieu par le toponyme Kipaowé. Personne ne fit d'effort pour le remplacer ni même pour se demander ce qu'il pouvait signifier. De toute façon, la vocation temporaire de la municipalité était, dès le début, une chose entendue. D'après les estimations, le filon s'épuiserait dans trois ou quatre décennies, et on ne supposait pas que quiconque aurait envie de s'attarder dans le coin quand les derniers lingots quitteraient la fonderie. C'est pourquoi on s'en était tenu au strict minimum dans les domaines de l'urbanisme, des installations sanitaires et de l'enjolivement.

Toutefois, au début des années quatre-vingt, juste au moment où le filon commençait effectivement à s'épuiser, une compagnie concurrente trouva de l'argent et du nickel dans la région. Les actionnaires de la Noranda se laissèrent alors convaincre d'investir dans des travaux de prospection. Ils ne regrettèrent pas cette décision, car il s'avéra que le gros du gisement d'argent se trouvait sur leur lot. En plus d'allonger son espérance de vie de manière inespérée, ce passage du cuivre à l'argent eut l'effet d'un électrochoc sur Kipaowé. On démolit l'ancienne fonderie pour en construire une plus moderne près du nouveau site d'exploitation. Pour ce qui est du village, on étudia plusieurs scénarios, notamment celui de le raser et d'en ériger un autre près de la mine d'argent, mais après estimation des coûts on décida plutôt de mettre sur pied un service de navette.

Ce renouveau coïncidait avec l'arrivée d'une nouvelle géné-ration de gestionnaires à la tête de la Noranda. Sortant de l'université avec des idées novatrices pour améliorer le rendement, ils ne mirent pas de temps à déceler les entraves à la productivité, la principale étant le taux élevé de roulement du personnel. Un nouvel employé mettait en moyenne trois mois avant d'atteindre son plein rendement, et comme la durée du contrat type était de six mois, il était sous-productif pendant la moitié de son engagement. Pour remédier à cet état de fait, il fallait simplement convaincre les mineurs d'accepter des contrats de plus longue durée. Et pour cela, il n'y avait qu'une solution : rendre leur cadre de vie plus attrayant, ce qui était plus facile à dire qu'à faire. Au bout de quelques mois de brainstorming, l'idée qui s'imposa fut de s'inspirer de l'expérience de Fermont. Là-bas, tout le personnel de la mine vivait dans le même immense bâtiment, lequel abritait également les bureaux de la compagnie, les commerces et les aires de loisirs. Chaque mineur y avait son logement privé, ce qui encourageait les ménages et les familles à s'y établir.

Si ce projet échappa aux grands cabinets d'architectes de la métropole pour échoir à Gagnon et Brisson, boîte de moyenne envergure située à Trois-Rivières, c'est que Jacques Brisson avait travaillé à l'époque au Mur-Écran de Fermont, alors qu'il était stagiaire chez Desnoyers et Mercure. Ironiquement, bien que ce fût son expertise personnelle qui permit à son entreprise de décrocher ce contrat, lui-même ne mit pas la main à la pâte. Il partait à la retraite deux ans plus tard et il lui répugnait de travailler à un projet dont il ne verrait pas l'aboutissement. La tâche de concevoir le futur village intérieur de Kipaowé fut plutôt confiée à ses deux jeunes associés, Louis et Robert. Cela ressemblait fort à une promotion pour les deux amis. Jamais depuis le début de leur carrière ils n'avaient été responsables d'un budget de cette ampleur. Toutefois, il y avait un hic : une fois les plans approuvés et les devis finalisés, l'un d'eux devrait se rendre sur place afin de superviser les différentes étapes de la construction. On parlait d'un séjour de quatre à cinq ans dans un désert de neige, où le mercure pouvait descendre sous les 40° en hiver, avec cinq heures de clarté au maximum, à cinq cents kilomètres de la famille et des amis. Louis n'avait bien sûr aucune envie d'aller s'enterrer dans le Grand Nord pendant cinq ans, surtout avec deux enfants en bas âge et un autre en route, mais d'un autre côté ce projet l'emballait réellement. Enfin, on lui confiait un travail faisant appel à sa créativité. Il décida néanmoins de ne pas user de l'argument de l'épanouissement personnel pour tenter de gagner France ; il avait l'impression que cela eût par trop ressemblé à du chantage émotif. Non, il lui parlerait plutôt des avantages financiers : avec la généreuse prime d'éloignement et le logement fourni (sans compter que les occasions de dépenser sont rares au milieu de nulle part), ils auraient les moyens, à leur retour, de verser une substantielle mise de fonds pour l'achat d'une maison, voire de la payer comptant si tout allait bien.

Il attendit que les jumeaux fussent couchés avant d'aborder le sujet. Entre-temps, il reçut un appel de Robert qui lui annonçait d'un ton dépité que, de son côté, les négociations s'étaient déroulées aussi mal que possible avec Sylvie. Elle avait opposé un refus sans appel à cette idée grotesque d'aller « vivre chez les sauvages » et était allée jusqu'à mettre leur couple dans la balance. « En gros, je peux y aller si ça m'amuse, mais sans elle et la petite. » Cela signifiait que si Louis échouait à son tour à convaincre sa moitié, ils devraient passer la main, ce qui ne ferait sans doute pas le bonheur de messieurs Gagnon et Brisson. Mais, contre toute attente, France n'opposa aucune objection. À peine Louis avait-il commencé à bafouiller son argumentation laborieusement préparée qu'elle l'interrompait par un « On partirait quand ? » enthousiaste. Après dix ans de mariage, certains aspects de la personnalité de sa femme lui échappaient encore, mais cette fois sa réaction le prit tellement de court qu'il continua pendant un long moment à énumérer ses raisons avant de réaliser qu'elle lui avait dit oui. Ils parlèrent des aspects pratiques du déménagement jusque très avant dans la nuit et, le lendemain matin, en arrivant au bureau, Louis annonça à son collègue qu'ils pouvaient se mettre au travail. La famille Bonenfant irait vivre chez les sauvages.

Dans les premiers souvenirs d'enfance d'Anne-Sophie, il y a presque toujours de la neige, il fait froid et l'arrière-plan est invariablement constitué d'une forêt de conifères se détachant sur un ciel gris. À l'âge de cinq ans, elle n'avait pas encore vu un seul feu de circulation, mais une aurore boréale était un spectacle banal à ses yeux. Elle n'avait jamais visité de zoo, comme la majorité des autres enfants, mais elle avait vu une ourse noire passer dans les rues du village avec ses deux rejetons, ainsi que des renards, des lièvres, des orignaux et même des loups. Pendant sa petite enfance elle avait considéré les voitures comme un moyen de locomotion plutôt insolite (là-bas, tout le monde se déplaçait en camion ou en VTT) et ne voyait de l'asphalte que pendant l'été, alors que la famille allait passer les quatre semaines de vacances de Louis dans le chalet des Labelle, à Saint-Mathieu-du-Parc. Jusqu'à l'âge de cinq ans elle n'avait jamais mis les pieds dans un centre commercial ni dans un cinéma, elle ne s'était jamais baignée dans une piscine et n'avait jamais rencontré personne qui ne fut pas un Blanc ou un Algonquin.

La maison qu'ils occupaient avait jadis appartenu à la famille de James Lindsay, l'un des fondateurs du village et ancien actionnaire principal de la Noranda. Cet homme consciencieux s'était imposé d'habiter sur place pendant la mise sur pied des infrastructures, ainsi que pendant les premières années d'exploitation, afin de veiller à ce que les délais et les quotas de production fussent respectés. Avant de regagner la civilisation, il avait cédé sa grande maison à la municipalité pour un montant symbolique. Dans une ville du sud, on l'aurait aussitôt transformée en une quelconque « maison de la culture » ou en « centre d'interprétation du cuivre », mais Kipaowé étant dépourvu de vie culturelle et d'industrie touristique, on la mit en vente en se croisant les doigts pour qu'il existe, quelque part dans le monde, un lunatique fortuné rêvant d'une demeure néo-victorienne de dix-huit pièces au milieu de la steppe. En attendant que la Providence n'envoie le lunatique en question, tout ce que le conseil municipal pouvait faire de ce cadeau empoisonné – les plus raisonnables proposaient d'y mettre le feu, mais personne n'aurait osé prendre la responsabilité d'un tel sacrilège –, c'était d'amortir les frais d'entretien et de chauffage en la louant à des gens de passage. Comme le montant du loyer ne dépassait pas celui d'un quatre et demie au centre-ville de Trois-Rivières, les patrons de Louis avaient signé le bail sans poser de questions. Le fait de vivre ses premières années d'existence dans le « manoir Lindsay » avait ancré en Anne-Sophie la conviction qu'il était tout à fait naturel pour une famille de cinq personnes de disposer de deux grands salons, d'une salle de jeu, de sept chambres d'amis et de deux chambres de bonne sous les combles. Si bien qu'au retour, elle avait d'abord cru à une plaisanterie quand ses parents lui avaient annoncé que oui, la maison qu'ils avaient acquise dans le Domaine Laflèche allait bel et bien leur servir de domicile permanent.

Outre la neige, le froid et les épinettes, Sarah figure dans la plupart de ses souvenirs de Kipaowé. En fait, le nombre d'anecdotes la mettant en scène peut sembler légèrement suspect, sachant qu'Anne-Sophie ne l'a connue que pendant sa dernière année passée là-bas. Elle admet – mais à la rigueur – que l'image de son amie ait pu rétrospectivement s'infiltrer dans certaines scènes où il est impossible qu'elle ait tenu un rôle. Ainsi, elle se rappelle parfaitement Sarah assise avec d'autres enfants autour de la petite table de la salle de jeu, guettant d'un œil fébrile France qui coupe un gâteau d'anniversaire en forme de maison-botte – comme dans l'histoire de la vieille dame qui habitait dans une maison en forme de botte, l'une des favorite d'Anne-Sophie (des Smarties figuraient les boutons, les lacets étaient faits de réglisses) –, se tortillant sur sa chaise en attendant son tour d'être servie, comparant les portions de peur d'être flouée, espérant se voir attribuer un morceau avec un bonbon dessus. Pourtant il est assez peu probable que Sarah ait réellement assisté à ce goûter d'anniversaire, puisque les jeunes invités (à l'exception des jumeaux) avaient tous été recrutés dans la classe de maternelle de France et, à cette époque (le gâteau maison-botte date du troisième anniversaire d'Anne-Sophie), Sarah était trop jeune pour fréquenter la maternelle. De plus, elle n'apparaît pas sur les quelques photos prises à l'occasion. « Bon, faut croire que c'est un souvenir fabriqué, ou plutôt des souvenirs superposés, genre que je me fourre entre deux gâteaux, mais ça me fait freaker parce que s'il n'y avait pas tant de preuves du contraire, j'aurais mis ma main au feu que Sarah était là ce jour-là. »

Comme il arrive généralement à cet âge, les circonstances seules avaient déterminé leur amitié. Anne-Sophie n'avait pas choisi Sarah comme plus tard elle choisirait Laurence mais, à force de la voir tous les jours, elle en était venue à ne plus pouvoir imaginer la vie sans elle. France l'avait ramenée à la maison, un soir après la classe, on ne sait trop pourquoi, et après le repas, les deux fillettes étaient allées jouer dans la chambre d'Anne-Sophie. Pendant une année, Sarah avait pour ainsi dire fait partie de la famille, ayant sa place désignée à table et apparaissant sur la majorité des photos datant de cette époque. Sur l'une d'elles on l'aperçoit en compagnie des jumeaux et d'un petit garçon blond non identifié, dans un habit de Ski-doo brun à bandes orangées, mordillant le pouce de sa mitaine et regardant l'appareil photo d'un œil indifférent. Sa tuque lui cache presque les yeux, ses joues et son nez sont rougis par le froid. Les quatre enfants entourent un bonhomme de neige. À l'arrière-plan, un ciel gris et une clôture Frost. D'autres photos : Sarah en salopette et tricot rose, assise sur les genoux du père Noël (Denis, le mari de Micheline), l'air pas tout à fait à son aise, ses grands yeux noirs fixés sur une personne hors cadre semblent demander : « Puis-je réellement faire confiance à cet individu ? » ; Sarah et Anne-Sophie dans un bain de mousse, s'amusant avec des éponges de couleur en forme de personnages de *Sesame Street ;* Sarah, Anne-Sophie et le bébé (la photo est datée du 21 octobre 1989, Marie-Ève avait donc trois semaines), posant sur un lit avec une partie des cadeaux reçus à la naissance ; Sarah et Anne-Sophie dans des pyjamas chinois identiques, assises dans une chaise en osier suspendue et souriant toutes deux avec malice ; Sarah et Anne-Sophie jouant dans la neige, Monsieur (le labrador noir de la famille) s'ébattant autour d'elles, etc.

Sarah vivait seule avec sa grand-mère dans un pavillon du quartier indien. Mamie Saint-Gelais était sans doute la seule personne du village à posséder son pavillon en propre et la seule personne à habiter Kipaowé sans avoir de lien direct avec la mine. La seule à y vivre sans motif valable, quoi. Il faut dire qu'elle était là avant la mine, donc avant l'existence de Kipaowé. Elle vivait alors un peu plus au nord, dans un petit village anishinabe qui n'existe plus de nos jours. Pour ce qu'Anne-Sophie en sait, la fille de mamie était venue travailler pour la Noranda au début des années quatre-vingt, y avait rencontré un mineur qui lui avait fait un enfant (Sarah) et qui un beau jour était reparti dans le Sud sans un mot d'adieu. À ce qu'il paraît, la mère de Sarah sombra dans l'alcoolisme peu de temps après, perdit son emploi à la Noranda et quitta à son tour le village, peut-être à la recherche de l'infidèle, laissant son enfant en bas âge à la charge de sa vieille mère. Cette histoire est évidemment sujette à caution puisqu'elle est reconstituée à partir de commérages, mais le fait demeure qu'au moment où les Bonenfant firent sa connaissance Sarah n'avait que sa mamie au monde. Son géniteur avait sans doute donné signe de vie à un moment donné – peut-être même envoyait-il de l'argent de temps en temps –, car Sarah parlait souvent d'un voyage à Amos avec son père, événement qu'elle semblait considérer comme le fait saillant de son existence.

Certains soirs elle restait à coucher, quand par exemple le mauvais temps rendait aléatoire le trajet entre le domicile des Bonenfant et le sien. Bien que cela arrivât assez fréquemment, c'était un plaisir qui ne s'usait pas. Le bouleversement des habitudes que cela entraînait était en soi enivrant. Premièrement, ces soirs-là, Anne-Sophie ne dormait pas dans sa chambre. Plutôt que d'y installer un lit de camp, on faisait dormir les deux fillettes dans les lits jumeaux de la chambre dite « au bureau jaune ». Après le bain, on jouait un peu, on prenait une collation, puis on s'installait chacune dans son lit et France lisait une histoire. La plupart des livres avaient appartenu à Émile et Stéphanie, mais Anne-Sophie fut la première à prendre réellement connaissance de leur contenu, les jumeaux n'étant, déjà à cette époque, pas très portés sur les loisirs passifs. Parfois Stéphanie venait se joindre au groupe, mais c'était plutôt pour faire étalage de son savoir tout neuf en matière de lecture que pour profiter de l'histoire. France la laissait lire quelques pages et lui prodiguait force compliments mais, bien qu'elles fussent trop polies pour le manifester, les fillettes n'en étaient pas moins soulagées lorsqu'elle passait le flambeau. Elles auraient pu, à la rigueur, fermer les yeux sur sa tendance à buter sur les mots difficiles, mais qu'elle ne se donnât pas la peine de changer sa voix pour faire parler les différents personnages, cela constituait un défaut impardonnable. Il faut dire qu'elles étaient gâtées à ce chapitre avec France. Les deux prétendus tisserands de *La nouvelle toge de l'empereur* s'exprimaient par sa bouche avec une irrésistible onctuosité, et le géant de *Mickey et le haricot magique* faisait vraiment peur lorsque, après avoir humé l'air dans la cuisine, il s'exclamait : « Ça sent l'humain ici ! » (bien que Mickey ne soit pas vraiment un humain).

Le choix de l'histoire au programme faisait toujours l'objet d'âpres négociations. S'il n'en avait tenu qu'à Sarah, on aurait lu *Bambi perdu et retrouvé* un soir sur deux, et *Les 101 dalmatiens* l'autre soir. Un instinctif sens de l'hospitalité inclinait Anne-Sophie à tolérer Bambi, même si personnellement elle s'en serait volontiers passée. Ses goûts personnels la portaient plutôt vers *La soupe au bouton* et, surtout, *La princesse qui ne riait jamais*. Dans ce conte, un garçon de ferme un peu lent (personnifié par Dingo dans cette collection) passe tous les jours sous la fenêtre de la fille du roi, laquelle est réputée, comme le titre l'indique, n'avoir jamais ri. Le roi en est si affligé qu'il a promis la princesse en mariage au premier de ses sujets qui arrivera à la dérider. À la première page, Dingo achève sa journée de travail et, avant qu'il ne rentre, le fermier lui remet une douzaine d'œufs pour sa pauvre mère. Mais Dingo est si maladroit qu'il échappe tous les œufs en cours de route et arrive bredouille devant sa mère. Celle-ci le sermonne gentiment : « Mon pauvre garçon, pourquoi n'avoir pas transporté les œufs dans ton chapeau ? Tu y penseras la prochaine fois que le fermier te fera un cadeau. » Justement, le lendemain, le fermier lui fait présent d'une dame-jeanne de lait. Se rappelant les bons conseils de sa génitrice, Dingo verse le lait dans son chapeau de paille et prend la route de la maison. Évidemment, quand il se présente devant sa mère, tout le lait a coulé et il n'en reste plus une goutte. « Mais voyons, Dingo ! À quoi pensais-tu ? Il fallait transporter la dame-jeanne sur ta tête comme font les femmes du village. » Le pauvre garçon est navré et promet de réfléchir la prochaine fois. Le jour suivant, son patron, particulièrement content de son travail, lui donne un porcelet. Dingo remercie et, appliquant à la lettre le conseil de la veille, il le place en équilibre sur sa tête et rentre chez lui. Mais comme on peut s'y attendre, le pauvre animal prend peur, se débat comme un diable et parvient à s'enfuir. Si bien qu'une fois de plus Dingo se présente devant sa mère les mains vides et lui narre sa mésaventure. D'une patience d'ange, celle-ci se contente de lui faire valoir qu'il eût mieux fait d'attacher une corde au cou de l'animal et de le traîner derrière lui. Le jour suivant, le fermier annonce à Dingo qu'il est allé à la pêche la veille et lui offre une de ses plus belles prises pour son souper du soir. Dingo remercie, attache une corde au cou du poisson et rentre à la maison en le traînant derrière lui. Tous les chats du voisinage, alléchés par le fumet, se lancent à sa suite et, lorsqu'il parvient à sa chaumière, il ne traîne plus derrière lui que quelques arêtes. « Eh bien ! tant pis, lui dit sa mère, nous ne mangerons pas de poisson ce soir, mais tout de même, si tu l'avais porté sur ton épaule, il aurait été à l'abri des chats. » Le lendemain, à la fin de sa journée de travail, Dingo est convoqué par le fermier, qui lui tient ce discours : «Mon bon ami, il y a maintenant cinq ans que tu travailles à la ferme. En reconnaissance de ton zèle, tu peux choisir une vache dans le troupeau du roi. Ta vieille mère sera sans doute heureuse d'avoir du lait frais tous les jours. » Dingo se confond en remerciements et va choisir dans le pâturage la plus grasse et la plus belle des vaches. Ensuite, il s'accroupit sous l'élue et entreprend de la hisser sur ses épaules. Après de nombreuses tentatives, il parvient finalement à soulever l'animal et prend le chemin de la maison en titubant. Au bout d'une heure, c'est à peine s'il a franchi cent mètres, mais il persévère, malgré qu'il soit au bord de l'épuisement. Les meuglements de panique de la vache finissent par ameuter le voisinage et bientôt une foule hilare se forme sur son passage. Cependant, un rire plus pur et plus cristallin que les autres se fait entendre. Tous se retournent pour contempler avec émerveillement ce spectacle encore plus inaccoutumé pour eux qu'un garçon de ferme transportant une vache sur ses épaules : la princesse, à sa fenêtre, se tenant les côtes de rire. Le roi, alerté par le boucan, arrive sur les lieux. La vue de sa fille riant de bon cœur le transporte de joie et il demande qu'on lui amène l'auteur de ce miracle. Il serre alors Dingo dans ses bras et le présente à la foule comme son futur gendre. En effet, un mois plus tard, Dingo épouse la princesse, ils vivent heureux, etc.

Anne-Sophie se rendait vaguement compte du caractère amoral de cette histoire et de son côté un peu cruel. Le fait que le premier éclat de rire de sa vie fût pour se moquer d'un simple d'esprit en disait long sur la personnalité de la princesse. Et puis, comment arriverait-elle à être heureuse avec cet époux qu'on lui imposait et qu'elle avait vu être la cible des quolibets de la populace ? Bien sûr, Anne-Sophie ne l'exprimait pas ainsi, mais elle sentait que quelque chose clochait dans ce couple. Ce n'en était pas moins son histoire préférée. Il faut croire que, déjà à cet âge, sa prédilection pour l'humour iconoclaste, de même que son dédain pour la sentimentalité et la gravité existaient en elle, qu'elle portait déjà le germe de ses futurs engouements pour Laurence Sterne, Jane Austen, Voltaire, Boris Vian, Molière. On peut dire de Dingo qu'il préfigurait tous ces mésadaptés pour lesquels elle aurait toujours une affection particulière, ces fous, constants dans l'erreur mais ne doutant jamais, et surtout ne se départant jamais de leur dignité malgré les revers, ces Don Quichotte, Ignatius J. Reilly et John Kaltenbrunner.

L'histoire lue, les deux fillettes échangeaient leurs impressions sur l'œuvre et soumettaient France à un barrage de questions – « C'est quoi, madame France, une dame-jeanne ? » ; « Ça se peut-tu, maman, quelqu'un qui lève une vache pour vrai ? » ; « Même pas papa ? » ; « Mais un bébé vache, papa il serait capable, hein ? » ; « Le cochon qu'il voulait ramener à sa maman, c'était-tu pour le manger ? » ; « Pourquoi nous autres on donne pas de poisson à Pierrot si les chats aiment le poisson ? » ; « Mais pourquoi d'abord les chats dans l'histoire s'étouffaient pas avec les arêtes, eux autres ? », etc. –, moitié par curiosité, moitié pour retarder le moment du coucher. Mais France avait vu neiger et finissait toujours, au bout d'une dizaine de minutes, par décréter qu'il était assez tard et que si quelqu'un avait un dernier pipi à faire, c'était le temps. Ensuite elle les bordait et éteignait la lumière, laissant toutefois allumée la veilleuse-papillon pour Sarah, qui avait un peu peur dans le noir. France partie, on se lançait à voix basse dans d'importantes discussions : si on avait cent un dalmatiens, quels noms leur donnerait-on et comment s'y prendrait-on pour les distinguer ? Est-ce que le Wendigo pouvait venir à Kipaowé ou bien demeurait-il toujours loin dans la forêt ? Est-ce qu'il pouvait entrer dans les maisons, même s'il était plus grand que le grand sapin proche du cimetière, comme le racontait mamie ? Sarah prétendait que la chose était possible puisque le Wendigo était aussi Mista Wâbos, et il pouvait donc se changer en lièvre. Il n'avait qu'à s'introduire dans la maison sous forme de lièvre et devenir le Wendigo après. Oui, mais alors il se cognerait au plafond, objectait Anne-Sophie, et puis un lièvre ne peut pas ouvrir une porte. On débattait de ces sujets et de bien d'autres, on faisait serment de ne pas dormir de la nuit, et quand France repassait pour voir si tout allait bien, une demi-heure après avoir éteint, on dormait profondément.

C'était pratiquement toujours Sarah qui venait à la maison, et on peut compter sur les doigts les occasions où Anne-Sophie rendit visite à son amie. « Si ma mère le dit, ça doit être vrai, pourtant je me rappelle exactement comment c'était chez mamie Saint-Gelais. Je me souviens même de l'odeur, genre un mélange de fumée, de bois pourri et de cuisine... » C'était un pavillon rectangulaire à revêtement d'aluminium blanc, avec un toit pointu recouvert de bardeaux d'asphalte et surmonté d'une petite cheminée de métal, en tout point semblable aux autres, du moins à la plupart des autres, puisque certains résidents s'étaient donné la peine d'orner le leur (le plus souvent d'un drapeau du Canada), fournissant ainsi des repères utiles pour qui rentrait chez soi après la tombée de la nuit ou un peu éméché. Mais mamie Saint-Gelais n'était point si frivole et sa demeure n'avait pas changé d'aspect depuis qu'elle s'y était installée. À l'intérieur, presque pas de divisions : tout le logis était pour ainsi dire constitué d'une seule pièce, faisant office de séjour, de cuisine et de salle à manger. Seules la minuscule chambre de mamie et l'encore plus minuscule salle de bains étaient cloisonnées. Sarah, pour sa part, dormait dans une manière d'alcôve fermée par un simple rideau, sous l'escalier menant au débarras. (Cet arrangement domestique fascinait particulièrement Anne-Sophie, qui elle aussi aurait voulu dormir dans un coin du salon.) Le mobilier était, en tout et pour tout, composé d'une massive table de bois mal dégrossi, d'un gros poêle Bélanger, d'une commode en bois dont la peinture blanche s'écaillait, d'une chaise berçante (où mamie passait le plus clair de son temps) et de deux divans recouverts de jetés dépareillés. Mamie ne possédait pas de réfrigérateur, elle rangeait plutôt les aliments périssables dans ce qu'elle appelait la cave, mais qui était en réalité un simple trou auquel on accédait par une échelle et où il faisait toujours froid, même au plus fort de l'été. Outre ces rares meubles, l'intérieur des Saint-Gelais était encombré d'une multitude d'objets, tous plus intéressants les uns que les autres. Le canot en écorce de bouleau suspendu au plafond et auquel on n'avait pas le droit de toucher avait été fabriqué par l'oncle Jim de Sarah, qui n'était pas son oncle à proprement parler et qu'on ne voyait presque jamais, mais qui revenait à chaque phrase dans la conversation de mamie (« Mononcle Jim va venir porter du bois tantôt » ; « Pour souper, on va manger la perdrix que mononcle Jim a tuée hier », etc.). C'est de ce même « mononcle Jim » que provenait le brochet naturalisé suspendu au-dessus du poêle et c'est à lui qu'appartenaient les pièges à renard et collets à lièvre qu'on voyait sur le dessus de la commode. Les murs étaient recouverts de photographies sous verre représentant des gens appartenant au passé de mamie. La mère de Sarah figurait sur nombre d'entre elles, mais l'identité des autres personnes demeurait un mystère, que les réponses sibyllines de la vieille femme aux questions qu'on lui posait ne faisaient qu'épaissir. (« C'est qui eux autres, mamie ? – Ça ? C'est Rebecca, la fille à Robert, avec son Américain… en 62. I' avait faite bin chaud c't'année-là… ») Toutefois, l'objet qui impressionnait le plus Anne-Sophie était le gros coucou sur le mur au-dessus de la chaise berçante. Rétrospectivement et selon des critères objectifs, elle admet qu'il s'agit sans doute de l'objet le plus laid à avoir été conçu de main d'homme, mais la petite Anne-Sophie de quatre ans aurait tout donné, une année de sa vie, ses plus belles robes, sa poupée Anaïs qui fait pipi, pour posséder le fabuleux coucou de mamie Saint-Gelais. Pour Sarah, le coucou faisait partie du décor depuis sa naissance, aussi ne comprenait-elle pas pourquoi il fallait absolument, à chaque heure, tout laisser en plan pour aller voir le petit oiseau sortir. Un bruit de mécanisme précédait cet important événement de quelques secondes puis, quand la grande aiguille arrivait à la perpendiculaire du 12, l'oiseau – boule de plumes rousses dotée d'un bec disproportionné – entrait et sortait de sa niche un nombre de fois équivalent au chiffre indiqué par la petite aiguille, faisant chaque fois entendre son tonitruant hoquet. Quelle chance quand on le surprenait à midi !

Toutefois, il faut bien dire ce qui est, hormis contempler le coucou il n'y avait pas grand-chose à faire chez Sarah. Les rares jouets qu'elle possédait semblaient être passés entre les mains de nombreux propriétaires avant de lui échoir ; d'ailleurs aucun n'était destiné à une fillette de cinq ans. Que faire avec une boîte à chaussures remplie de petits soldats de plastique, un garage Fisher-Price dont l'élévateur ne fonctionnait plus ou une voiture orange arborant le drapeau confédéré sur le capot ? Pour ce qui est des jeux de société (*Monopoly, Destin, Scrabble*), cela vous fait une belle jambe quand vous ne savez pas lire. Il arrivait parfois, si on insistait beaucoup, que mamie accepte de raconter une histoire. C'était mieux que rien, si on veut, mais comme conteuse elle n'arrivait pas à la cheville de France. Elle débitait son récit d'un bout à l'autre sur un ton monocorde, sans marquer de pause pour ménager ses effets, sans même élever la voix quand un personnage était en colère. Comme elle ne lisait pas son histoire dans un livre mais la récitait de mémoire, il n'y avait pas de support visuel pour appuyer le texte, ce qui était un peu déstabilisant. « Un homme était à la chasse avec son chien, lorsqu'il vit un rat musqué pris dans un piège. » Mais à quoi pouvait bien ressembler cet homme, de quelle race était son chien, et que diable pouvait bien être un rat musqué ? Il fallait se résigner à l'imaginer (mamie répondait aux questions d'une manière si évasive que c'en était frustrant), mais alors comment savoir si ce qu'on imaginait correspondait à la réalité ? De plus, le répertoire de mamie était des plus limités. Elle ne connaissait que cinq ou six histoires, qui toutes tournaient autour de Mista Wâbos, le Grand Lièvre. Au début du cycle, tous les animaux vivent en paix dans la forêt, la joie et l'abondance règnent, les dieux sont contents, tout baigne. Cela est dû en grande partie à Mista Wâbos, le lièvre, la plus grande et la plus forte de toutes les créatures vivantes. Si un conflit survient entre deux habitants de la forêt, c'est à sa sagesse qu'on fait appel ; si on a une requête à faire aux dieux, c'est à lui qu'on demande d'intercéder, car on sait qu'il a l'oreille des dieux. Un jour que les animaux sont réunis dans une clairière, un grand bruit se fait entendre au loin. Tous prennent peur, sauf bien sûr Mista Wâbos, qui n'a jamais peur de rien. Il tente de rassurer ses amis, mais dans la cohue on ne l'entend pas. On se dépêche de se mettre à couvert, qui dans les fourrés, qui dans son terrier, qui au fond de la mare. Les quatre petits de madame Couleuvre se réfugient dans la gueule de leur mère. Une souris qui passe par là décide de les imiter. Madame Couleuvre ouvre la gueule plus grand pour lui faire place. Mista Wâbos, lui, s'enfonce hardiment dans la forêt pour découvrir l'origine du bruit. Il ne tarde pas à trouver le coupable : c'est monsieur Castor qui vient d'abattre un arbre de belle taille. Mista Wâbos lui passe un savon pour la forme (« À l'avenir, tu frapperas le sol avec ta queue pour avertir lorsque tu abattras un arbre ») et retourne à la clairière pour rassurer les autres. Tous poussent un soupir de soulagement et sortent de leur cachette, sauf la petite souris à qui est arrivé l'accident suivant : dans sa frayeur, elle s'est enfoncée trop avant dans la gueule de madame Couleuvre, a passé l'appareil digestif et a donc été, techniquement du moins, dévorée par le pauvre reptile qui ne sait plus où se mettre. Les choses en seraient sans doute restées là si monsieur Hibou, d'un naturel soupçonneux, n'avait mis le feu aux poudres en disant : « Elle l'a fait exprès ! Elle a mangé notre sœur la souris ! » Et, histoire de venger la défunte, il s'empare de deux des petits de madame Couleuvre et les gobe. Le lynx, prenant la défense de l'offensée, attrape le hibou et le mange à son tour sans prendre le temps de le plumer. Le conflit devient vite général : la poule mange le lombric, le renard mange la perdrix, l'ours mange la truite, le loup mange le colvert, etc. Mista Wâbos tente de séparer les belligérants, mais il ne peut être partout à la fois. Soudain, un grand coup de tonnerre se fait entendre et un éclair déchire le ciel. Tous restent figés sur place et réalisent soudain ce qu'ils sont en train de faire. Comment a-t-on pu en arriver là ? Quand les dieux vont apprendre la chose, ça gonna chier, c'est clair. De fait, à cet instant, un grand trou s'ouvre dans la voûte du ciel et Mista Wâbos, soulevé par une force invisible, s'y engouffre. On sait ce que cela signifie : c'est lui qui, en tant que chef, devra répondre devant les dieux de la conduite des animaux. C'est injuste, mais c'est comme ça. Ils n'y vont pas de main morte, les dieux, avec le pauvre Mista Wâbos. Puisqu'il n'a pas été capable de maintenir l'harmonie dans la nature, il est déchu de son statut de roi de la forêt. À partir de ce jour, le lièvre cessera d'être le plus grand, le plus fort et le plus brave des animaux ; il sera au contraire le plus chétif, le plus faible, le plus peureux. Toutefois, afin d'atténuer le châtiment, on lui laisse l'un de ses anciens pouvoirs : celui de devenir le Wendigo et de traquer sous cette forme, par les nuits de pleine lune, les hommes ayant fait du tort à autrui. Cette partie des aventures de Mista Wâbos était de loin la préférée des deux fillettes, d'abord parce que toutes les petites filles raffolent des histoires de monstres, mais aussi et surtout parce que ça n'était pas des histoires inventées, comme celles du haricot magique ou de la belle au bois dormant, on était ici dans le domaine du fait vécu, mamie affirmant avoir vu de ses yeux la créature dans sa jeunesse. Pour Anne-Sophie, la crédibilité de mamie Saint-Gelais ne faisait aucun doute. Une personne de cet âge ne pouvait pas davantage mentir que soulever une maison ou sauter par-dessus les nuages. Mamie racontait que dans les années quarante un homme de son village, revenant bredouille de la chasse, trouva un castor pris dans un piège appartenant à un membre d'une tribu amie. Il se dit : « Je vais emprunter ce castor à mon frère pour nourrir ma famille et au printemps j'irai le lui rendre. » Il prit donc la dépouille de l'animal et la rapporta à sa femme. Cependant, à la fin de l'hiver, l'homme ne songeait plus à sa promesse et il négligea de rendre le castor. Une nuit où la lune était pleine, il bivouaquait près d'une rivière lorsqu'il entendit un grand bruit. Il se retourna et vit une ombre gigantesque s'avancer sur lui, abattant les grands sapins sur son passage comme s'il s'agissait de brindilles. Il savait que c'était le Wendigo qui venait lui reprocher sa mauvaise action. Il détourna vite le regard, car on raconte que plusieurs sont morts sur-le-champ après avoir contemplé la créature en face. Le Wendigo s'arrêta près de l'homme et dit d'une voix terrible : « Tu as pris quelque chose qui ne t'appartenait pas et tu as ainsi lésé un homme qui ne t'avait rien fait. Avais-tu l'intention de réparer ta faute ? – Non, je n'en avais pas l'intention, mais je promets de le faire dès demain. » Comme l'homme avait dit la vérité, le Wendigo ne pouvait lui faire aucun mal. Il retourna dans la forêt et, au matin, l'homme trouva dans l'un de ses pièges un gros castor qu'il alla porter à son frère chasseur.

Anne-Sophie ne se lassait jamais d'entendre cette histoire. Pour une fois, il semblait même que l'absence d'intonation de mamie ajoutait à l'efficacité du récit. Chaque fois que les Bonenfant empruntaient la « route neuve » pour se rendre au chalet des Garon, des amis de la famille, Anne-Sophie scrutait la forêt, le nez collé à la fenêtre, dans l'espoir d'apercevoir le Wendigo. (Elle crut effectivement le voir à quelques reprises, mais elle ne peut jurer de rien.) Quand elle rapporta l'histoire à sa mère, celle-ci lui expliqua qu'il s'agissait certes d'une belle légende, mais qu'il ne fallait pas la prendre au pied de la lettre. Selon France, le Wendigo symbolisait notre conscience et les remords qu'on éprouve quand on agit mal envers son prochain. Bon, si ça la rassurait de penser ça, grand bien lui fasse, mais Anne-Sophie, elle, savait à quoi s'en tenir.

L'absence de jouets intéressants et la pauvreté du répertoire de mamie étaient cependant compensées par la grande liberté dont on jouissait chez les Saint-Gelais. France n'aurait jamais laissé les fillettes jouer dehors toutes seules ; mamie, elle, se contentait d'émettre un : « Allez pas trop loin ! », sans se donner la peine de définir le « trop loin ». En repensant à ses escapades avec Sarah autour de la maison de mamie, Anne-So se souvient d'au moins cinq ou six occasions où elles ont frôlé la mort ou une blessure grave, comme la fois où elles étaient allées s'amuser sur l'étang gelé, alors que le printemps était assez avancé et que la glace se fissurait sous leurs pas ; la fois où elles avaient chipé quelques morceaux de viande d'orignal chez mamie pour nourrir le berger allemand de monsieur Sicotte, qui jappait sans arrêt au bout de sa chaîne ; la fois où elles avaient pris les allumettes en bois servant à allumer le poêle, dans le but de se faire un feu de camp, etc. « On n'a pas été chanceuses cette fois-là : juste comme on venait de réussir à partir notre feu, un des ouvriers du chantier est passé, m'a reconnue et m'a ramenée à la maison. La crise que je me suis fait faire ! J'avais jamais vu mon père fâché de même. À cause du temps sec, il y avait cet été-là une interdiction de faire des feux à ciel ouvert dans tout l'ouest du Québec. On aurait pu faire flamber toute la forêt autour, le village aurait dû être évacué, la mine fermée... Je pense qu'à partir de ce jour-là j'ai plus eu le droit d'aller jouer chez Sarah. »

Les autres amis d'Anne-Sophie à Kipaowé se fondent dans une masse indistincte. Elle garde en mémoire quelques noms, ainsi que quelques visages, mais elle serait incapable d'associer l'un de ces noms à l'un de ces visages. Comment s'appelait ce petit blond au teint maladif qui portait un col roulé blanc et avait toujours un doigt dans le nez ? Éric ? Frédéric ? Patrick ? Et la grande timide au visage rond ? Et l'autre avec ses tresses et ses taches de rousseur que Louis taquinait en l'appelant Laura Ingalls ? Comme je le mentionnais plus haut, France était en charge de la maternelle de Kipaowé. En raison de la pénurie d'enseignants dans les régions éloignées, la loi permet de combler les postes en les offrant à quiconque possède un diplôme postsecondaire. Avec sa maîtrise en poche et son doctorat en route – elle trouvait le moyen, malgré la distance, de poursuivre ses études à temps partiel –, France était sans doute la personne la plus scolarisée à des centaines de kilomètres à la ronde, aussi les bonzes de la Commission scolaire l'avaient-ils longuement courtisée pour qu'elle accepte un poste, n'importe lequel, avec prime d'éloignement et tout. L'offre la tentait, cependant son angoisse à l'idée de prendre la parole en public n'avait pas diminué d'un cran depuis le secondaire. Mais bon, si le public en question était composé d'une douzaine de gamins de cinq ans, cela pouvait toujours aller, pensait-elle. Et puis, ça n'était que quatre heures par jour. Elle eut malgré tout un trac horrible le premier jour, mais elle se rendit vite compte que s'occuper de la maternelle relevait davantage du service de garde que de l'enseignement proprement dit. Les objectifs d'apprentissage du ministère de l'Éducation étaient si peu nombreux et si faciles à atteindre (apprendre à écrire son nom, apprendre à lacer ses souliers, apprendre à compter jusqu'à cent, etc.) que France en était insultée pour ses élèves. Apparemment, quelqu'un au Ministère était convaincu que la petite enfance constituait une maladie mentale. Au fond, cela l'arrangeait assez : elle se débarrassa des objectifs d'apprentissage en deux semaines et, quand tout le monde sut écrire son nom et faire ses boucles, on se concentra sur les jeux et les bricolages. Pendant les deux premières années où France occupa ce poste, Anne-Sophie fut confiée, pendant les matinées, à la garde d'une certaine madame Fradette, épouse d'un contremaître du chantier de Louis, dont elle ne garde aucun souvenir. « Je pourrais même pas dire la couleur de ses cheveux. Je la regardais pas, je lui adressais pas la parole, je voulais rien savoir. Il paraît qu'à partir de onze heures, chaque matin, je m'assoyais sur une chaise devant la porte d'entrée pour attendre ma mère – elle revenait vers midi –, et dès que la porte s'ouvrait je lui sautais au cou sans lui laisser le temps d'enlever son manteau. » Cette attitude fit en sorte que, lorsque Anne-So eut quatre ans, France décida de l'emmener à l'école. Elle fit donc une première fois sa maternelle à Kipaowé, en tant qu'auditrice libre pourrait-on dire, ainsi lorsqu'elle entama sa « vraie » maternelle l'année suivante, à Saint-Jean-Bosco, elle maîtrisait les doigts dans le nez les dérisoires objectifs d'apprentissage du Ministère.

Il avait été convenu qu'après la naissance de Marie-Ève, France resterait à la maison pour s'occuper du bébé. À la veille d'accoucher, elle alla donc porter sa démission au directeur, qui la supplia à genoux (quasi littéralement) de rester, qu'on trouverait un arrangement, que la jeunesse de Kipaowé courait à la perdition si elle désertait son poste. Après en avoir discuté avec Louis, elle finit par se laisser fléchir. L'arrangement qu'on trouva fut le suivant : la classe de maternelle de Kipaowé se tiendrait désormais au domicile des Bonenfant, plus précisément dans la grande salle de jeu des enfants. France pourrait ainsi veiller sur le nouveau-né tout en supervisant les ateliers de peinture au doigt et de pâte à modeler. Celle qui y gagnait le plus était Anne-Sophie, car cela lui permit de sortir un peu de sa coquille. Avant cela, elle participait consciencieusement à toutes les activités sans vraiment se mêler au groupe, se sentant vaguement intruse parmi ces grands de cinq ans, mais maintenant que la classe se déroulait chez elle, dans « sa » salle de jeu, elle jouissait de ce surplus de confiance propre à l'équipe jouant à domicile.

Elle avait quelques contacts sociaux en dehors de sa classe de maternelle, mais il s'agissait plutôt de compagnons d'occasion, des enfants d'amis de ses parents avec lesquels elle jouait l'espace d'un après-midi, pendant que les adultes discutaient, mais dont elle oubliait l'existence sitôt qu'ils se trouvaient hors de son champ de vision. À Kipaowé, Louis et France fréquentaient surtout les gens du chantier. Pendant les cinq années que dura la construction du Complexe d'habitation Noranda (oui, on avait brainstormé fort pour trouver le nom), la population augmenta quasiment du double et il fallut commander de nouveaux pavillons pour accommoder les travailleurs du chantier. En l'espace de quelques mois, un nouveau village sortit de terre à cinq cents mètres environ du premier. Malgré cette proximité physique, les deux groupes, les mineurs et les ouvriers, se côtoyaient très peu. Il n'existait pas entre eux de tension, comme entre les mineurs blancs et les mineurs autochtones, seulement personne ne voyait de bonne raison pour lutter contre cette pente naturelle qui nous pousse à chercher avant tout la compagnie de nos semblables. Ainsi, les nouveaux amis de France et de Louis étaient-ils tous des contremaîtres, ingénieurs, entrepreneurs en construction, etc. Pour eux également il s'agissait de compagnons d'occasion, de gens dont on savait pour la plupart qu'on les perdrait de vue quand on retournerait à la civilisation, mais qui pour le moment comblaient ce besoin qu'ont les grandes personnes de se réunir autour d'une table en buvant du vin et en riant fort. La seule amitié durable que les Bonenfant nouèrent là-bas fut avec les Garon. Jean-Marc Garon, géant barbu en veste à carreaux rouges, était ingénieur électricien en chef. Sa femme Édith et lui étaient presque des « gens du coin » : originaires de Val-d'Or, ils possédaient un chalet – plutôt un camp de pêche qu'un chalet – au lac Makamic, à environ quatre-vingts kilomètres au sud de Kipaowé. Il arrivait souvent à Jean-Marc de « descendre au lac » après sa journée de travail et de se lever le lendemain matin à trois heures pour pêcher avant de regagner le chantier. Pendant la belle saison, les Bonenfant avaient coutume d'aller y passer les week-ends. Comme le chalet était trop petit pour loger des invités, ceux-ci dormaient dans le « fifth wheel » des Garon, ce qui mettait bien sûr les enfants au comble de la joie.

Les Garon avaient deux enfants : une fille de six ans, Annie, ainsi qu'un garçon de l'âge des jumeaux, prénommé Daniel, avec qui Émile développa une solide amitié, basée sur leur passion commune pour les trois-roues, mini-cross, bateaux à moteur et autres engins permettant de se déplacer rapidement en faisant un maximum de bruit. Pour ce qui est d'Anne-Sophie, elle considérait qu'Annie constituait une amie d'occasion tout à fait potable bien que celle-ci fût de deux ans son aînée. Ensemble elles pataugeaient dans le lac, creusaient des canaux, faisaient des pâtés de sable, ramassaient des huîtres qu'elles rapportaient fièrement à leurs mères. « J'aimais mieux Sarah, mais faute de grives on mange des merles. Ou c'est pas le contraire ? Anyway. En fait, elle disait à peu près jamais un mot, Annie, et les rares fois où elle l'ouvrait c'était pour parler de sa cousine qui restait à Val-d'Or. Je me rendais pas compte dans le temps qu'elle avait un retard mental, j'avais pas connu assez de monde pour voir la différence. Elle avait manqué d'air à la naissance, elle s'était étranglée dans son cordon, mais ça je l'ai su des années après, quand les Garon sont venus nous visiter à Grand-Mère. Elle avait onze ans et elle parlait encore juste de cette cousine de Val-d'Or. » Pendant que les fillettes jouaient sur la plage, les garçons accompagnaient Louis et Jean-Marc sur le lac. Stéphanie se retrouvant alors sur la touche, France et Édith essayaient de la distraire en lui confiant des tâches – cueillir des framboises, amasser des petites branches pour le feu, etc. –, mais elle se rendait bien compte qu'on ne faisait ça que pour l'occuper, ce qui ne manquait pas de la blesser dans sa dignité. La plupart du temps elle restait pendue au bras de sa mère, demandant à toutes les demi-heures : « On s'en va-tu bientôt ? »

Vers la fin de l'après-midi, les hommes revenaient de la pêche et, s'il fallait en croire Émile et Daniel, c'étaient eux seuls qui avaient capturé tous les poissons, leurs pères n'ayant fourni qu'une aide accessoire. En tant qu'invité, c'est à Émile que revenait le privilège, lors de ces expéditions, de « chauffer le bateau ». Dès qu'il mettait pied à terre, il se précipitait vers France pour lui narrer avec un luxe de détails ses exploits de navigateur, que sa jumelle, pour se désennuyer, se faisait une joie de mettre en doute. « J'ai parti le moteur tout seul ! – Même pas vrai ! P'pa t'a aidé, je l'ai vu ! – Non, il m'a pas aidé ! – Oui ! – Non ! – Oui ! – Non ! – Oui ! – P'pa ! Dis-y que c'est même pas vrai que tu m'as aidé à partir le moteur ! » On attachait ensuite la chaloupe au quai et on allait s'installer sur la table à pique-nique derrière le chalet pour vider les poissons. Ce spectacle fascinait Anne-Sophie en même temps qu'il la bouleversait. L'un des deux pères attrapait un poisson par les ouïes, le mettait sur la table, lui tranchait la tête, lui ouvrait l'abdomen, enlevait les tripes et le squelette, prélevait deux filets et jetait tout le reste dans un grand sac-poubelle. Contrairement à la plupart des enfants de son âge, elle avait vu des animaux morts, elle en avait même vu se faire abattre. Elle savait que le poulet qu'elle mangeait avait jadis été un poulet vivant, comme ceux que madame Landry, la voisine de Sarah, élevait dans sa cour. Sans être parfaitement à l'aise avec cette idée, du moment que son père et sa mère lui assuraient que c'était comme ça, elle n'avait d'autre choix que de l'accepter. Quand mononcle Jim avait tué la femelle orignal qui avait eu la malheureuse idée de s'aventurer dans la cour de l'école, il lui avait tiré une balle derrière la tête, la bête était demeurée immobile quelques secondes, avait fait quelques pas en titubant puis avait plié les genoux et s'était effondrée. Cela avait duré moins d'une minute. Le temps que France réalise ce qui se passait, qu'elle aille fermer les rideaux et que Jacques, le directeur de l'école, sorte pour signifier à Jim qu'il le tenait pour un « calice de sans-dessein » d'ouvrir le feu dans une cour d'école, l'animal était déjà mort. Mais ce qui la traumatisait avec les poissons, c'était qu'on aurait dit qu'ils ne mourraient jamais. Le sac-poubelle rempli de têtes, de queues, d'arêtes et de tripes était continuellement agité de soubresauts, et chaque fois que cela arrivait, elle devait mettre sa main devant sa bouche pour s'empêcher de crier, de peur qu'on ne remarque son trouble et qu'on ne lui permette plus d'assister à la préparation des poissons. « Je trouvais ça intolérable, carrément, mais je pouvais pas faire autrement que regarder. Je suis peut-être un peu perverse… mais me semble que non. Qu'est-ce que t'en penses ? Ou peut-être que tout le monde est de même. Savais-tu qu'il y a eu des émeutes en Angleterre quand les exécutions ont arrêté d'être publiques ? En tout cas. Mais le pire dans tout ça c'est que des fois je regardais dans le sac et là je voyais les têtes des poissons, et ils continuaient à ouvrir et fermer la bouche. C'est sûrement l'image la plus marquante que je garde de mon enfance, j'en ai fait des cauchemars pendant des années. Après ça évidemment, j'étais incapable de manger au souper – d'où la légende voulant que j'aime pas le poisson. Il fallait que ma mère me fasse autre chose. Je regardais les poissons dans les assiettes des autres et, sans farce, je m'attendais à les voir bouger… »

Le fait saillant de cette journée au lac Makamic était, du moins pour les enfants, le feu de camp. Il faut dire que le plaisir qu'on en retirait était exacerbé par l'attente forcée qui le précédait, car il fallait patienter jusqu'à ce qu'il fasse complètement noir avant de se risquer dehors. Cela ne tenait point du caprice : ceux qui ont vécu dans ces contrées savent qu'il est impensable, sauf en cas de grave urgence, de mettre le nez dehors entre la fin de l'après-midi et la tombée de la nuit, de peur de se faire dévorer vivant par les moustiques. Bien sûr, ils étaient là aussi le reste du jour et on ne sortait jamais sans s'enduire de Muskol (à certaines époques de l'année, à la mi-juin par exemple, il fallait même porter un bas de nylon sur la tête et un chandail à manches longues pour jouer dehors), mais à la brunante le mieux était de leur abandonner le terrain. La nuit venue, ils se faisaient plus rares, prenant soin toutefois de confier à l'un des leurs la mission de s'introduire dans le « fifth wheel » et de rendre la vie misérable à ses occupants pendant une bonne partie de la nuit. « Toute la journée on sentait l'huile à mouche, c'était notre odeur par défaut, on le remarquait même plus. Ensuite, après le bain, maman mettait de la calamine sur nos piqûres – on en avait toujours, des piqûres, l'huile à mouche ça empêchait juste de se faire vider de son sang, mais le maringouin moyen en tenait pas vraiment compte. Bref, après l'odeur du Muskol c'était l'odeur de la calamine. C'est tellement imprégné dans mes narines que j'ai juste à fermer les yeux et je peux la sentir comme si j'avais la bouteille sous le nez. »

Dès que l'une ou l'autre des grandes personnes décrétait qu'il faisait suffisamment noir, les cinq enfants se précipitaient à l'extérieur, chacun voulant arriver le premier à la plage de manière à s'approprier la meilleure place autour du feu. Du moins c'était là le prétexte de cette course, car le premier arrivé aurait été bien en peine d'expliquer en quoi la place qu'il avait choisie était la meilleure. France et Édith suivaient avec les couvertures et les sacs de guimauves, pendant que leurs maris transportaient la glacière. Évidemment, il fallait qu'Émile et Daniel se mêlassent d'allumer le feu. On n'y serait simplement pas arrivé sans leur concours. Chacun de son côté, ils embrasaient un coin de papier journal à l'aide d'une longue allumette en bois, puis passaient l'heure suivante à épiloguer à savoir lequel des deux avait le plus contribué au résultat.

Jean-Marc, qui d'une manière générale connaissait un nombre impressionnant de trucs pour égayer les enfants (il enlevait son pouce et le replaçait à volonté, mettait le feu à son doigt, vous faisait apparaître un vingt-cinq sous dans l'oreille, etc.), donnait toujours le meilleur de lui-même lors de ces soirées autour du feu. Il savait, par exemple, que lorsqu'on faisait brûler des branches de conifères séchées, celles-ci crépitaient joyeusement et libéraient une nuée de petites étincelles qu'on regardait monter au ciel et s'éteindre l'une après l'autre. Il possédait également un vaste répertoire de chansons, pas exactement grivoises mais limite, qu'il interprétait en s'accompagnant à la guitare, des chansons au sujet d'un p'tit minou qui n'avait plus de queue de chemise pour cacher son p'tit trou, d'une Marie Chabot qui vivait sur la rivière du Loup, ou encore d'une certaine Marie Calumet qui avait perdu sa jaquette en passant par les épinettes. Il arrivait parfois qu'Édith l'interrompe au début d'une chanson : « Voyons donc, innocent ! Tu chanteras pas ça devant les enfants ! » Il haussait alors les épaules et entonnait un autre air, au grand désarroi d'Anne-Sophie qui aurait bien voulu savoir à quoi pouvait ressembler une chanson qu'on ne doit pas chanter devant les enfants.

Bien qu'elle fût alors en mesure de les identifier sur les photos, elle ne fit réellement connaissance avec les membres de sa parenté qu'une fois de retour à Grand-Mère. D'Alexandre, son oncle préféré, elle ne garde aucun souvenir remontant à cette époque, même si tous les témoins s'accordent pour dire qu'ils avaient « un fun noir » ensemble. Aucun souvenir non plus de Frédérique, qui allait pourtant devenir l'une de ses meilleures amies. Celle-ci, au contraire, avait été marquée par son séjour dans l'immense demeure des Bonenfant, à Noël 1988, et surtout par l'interminable voyage en train à travers la forêt. Elle n'en revenait simplement pas qu'il existât autant d'arbres sur terre. Le séjour des Bonenfant sur le 50ᵉ parallèle fut particulièrement éprouvant pour les grands-parents d'Anne-Sophie. Du moins pour les deux grands-mères. Tout leur était prétexte à se faire du mauvais sang (de la distance de l'hôpital le plus proche à la qualité de l'enseignement dispensé aux jumeaux à l'école de Kipaowé), et elles ne rataient pas une occasion de rappeler à quel point il était triste de ne pas voir grandir ses petits-enfants. Ce sentiment était toutefois loin d'être réciproque. Anne-Sophie, il faut bien le dire, se souciait d'eux comme d'une guigne et les traitait à peine mieux que madame Fradette les rares fois où elle les voyait. Comme je le disais plus haut, Louis prenait chaque été un mois de vacances – les deux semaines des vacances de la construction et les deux suivantes – qu'on allait passer au chalet des Labelle, à Saint-Mathieu-du-Parc. Rose et Yvonne profitaient de cette courte période pour rattraper le temps perdu. Cela donnait lieu à un débordement de cadeaux, de caresses et d'embrassades, à la grande perplexité d'Anne-Sophie qui se demandait pourquoi ces vieilles dames qu'elle ne connaissait pas du tout (à cet âge, un an représente une éternité et elle avait amplement le temps de les oublier d'une fois à l'autre) se disputaient ainsi son attention. Yvonne, surtout, l'exaspérait avec ses « Viens voir mamie ! », comme si d'autres que mamie Saint-Gelais pouvaient prétendre au titre de mamie. Elle se demandait également ce qu'elles entendaient par des phrases comme : « Ça achève ! Dans à peu près un an vous allez être à la maison. Grand-maman a assez hâte que vous reveniez ! » Après une semaine en Mauricie, elle aussi avait hâte de revenir à la maison, à la seule maison qu'elle connaissait. Elle conserve bien quelques images de ces étés à Saint-Mathieu, mais celles-ci sont loin d'avoir la netteté de celles de Kipaowé. « L'affaire c'est que, jusque tout récemment, j'ai passé presque tous mes étés au chalet de mon grand-père, ça fait que j'ai du mal à dater mes souvenirs. Je me souviens de la fois où Samuelle était tombée en bicycle dans le chemin de gravelle, mais je pense qu'on était déjà revenus pour de bon dans ce temps-là. Hum... pas certaine. Faudrait que je lui demande quel âge elle avait. Mais la fois où on est allés aux mûres et que Frédérique avait pilé sur un nid de guêpes et qu'on s'était ramassés à l'hôpital parce que Steph avait fait une réaction allergique, là c'est presque sûr qu'on restait encore dans le nord, parce que me semble que Simon était là. Pis Simon est mort en 1990. Il était là aussi, Simon, la fois où mon frère pis mon cousin Philippe avaient balancé le pneu trop fort et que la corde avait cassé. Même que si ma mémoire est bonne c'est Simon qui était dans le pneu. Mon frère pis mon cousin avaient essayé de le convaincre de pas aller brailler devant les parents, mais il y est allé pareil. Ils s'étaient fait passer tout un savon. »

Vers la fin de l'hiver 1990, on sut que le gros œuvre serait achevé dans les délais et que le Complexe d'habitation Noranda pourrait accueillir ses premiers occupants dès l'automne suivant. France commença alors à préparer les enfants à leur retour, leur faisant miroiter tous les avantages qu'il y avait à vivre dans une véritable ville. Certains arguments tombaient un peu à plat

(«Vous allez voir vos grands-parents plus souvent»), tandis que d'autres touchaient la cible («On va rester pas loin d'un parc»), mais de toute façon ni Anne-Sophie ni les jumeaux ne soulevèrent d'objection majeure à l'idée de déménager. Du moins au début, car il faut bien le dire, les choses se gâtèrent un peu le jour où Anne-So déclara que ce qui la dérangeait un peu dans tout ça, c'est que mamie allait s'ennuyer quand elle se retrouverait toute seule, sans Sarah. France dut alors lui expliquer qu'en fait Sarah ne venait pas avec eux, qu'elle resterait à Kipaowé. Anne-So ne s'énerva pas tout d'abord à l'annonce de cette nouvelle extraordinaire, elle commença par tenter de faire entendre le bon sens à ses parents. Car enfin, l'idée de se séparer de Sarah ne tenait simplement pas debout. Et Marie-Ève, qui n'était dans la famille que depuis quelques mois, est-ce qu'on allait l'emmener, elle? Oui? Eh bien, c'était la meilleure, celle-là! Pour le reste, bon, d'accord, elle voulait bien admettre que les enfants doivent demeurer avec leurs papas et leurs mamans, mais puisque Sarah n'avait ni l'un ni l'autre... Aussi bien parler à un mur. Aux arguments les plus décisifs de sa fille, France n'opposait que des propos creux, sans rapport avec le sujet : «Je le sais, ma chouette, que ça te fait de la peine, mais tu vas pouvoir lui parler au téléphone, à Sarah, pis à Grand-Mère tu vas te faire plein de nouveaux amis.» Que répondre à ça, sinon : «Chus pas une chouette pis j'en veux pas d'autres amis, bon!» appuyé d'un solide coup de pied dans le meuble le plus proche? Étrangement, cette démonstration de force n'eut point l'heur d'impressionner France, aussi Anne-So en fut-elle réduite, bien que cela heurtât sa délicatesse, à recourir au chantage : puisque c'était comme ça, puisque Sarah ne pouvait pas venir, eh bien c'est elle qui resterait. Ça n'était pas très grand chez mamie, mais elle non plus n'était pas très grande, on lui trouverait bien une place où dormir. Papa et maman pourraient lui rendre visite de temps en temps, si le cœur leur en disait. Inutile d'ajouter quoi que ce soit, sa décision était prise. Ce bras de fer diplomatique fut pour Anne-Sophie l'occasion d'une amère découverte, à savoir que le pouvoir de négociation des petites filles de cinq ans est à peu près nul. La preuve en est que quatre mois plus tard elle était assise dans le train en direction de Shawinigan, laissant pour toujours Kipaowé derrière elle.

Bien qu'à cette heure tu sois prêt à jurer le contraire, tu avais à peu près complètement cessé de penser à Anne-Sophie dès le lendemain de cette rencontre au Salon du livre, où tu avais inscrit ton adresse électronique sur la page de garde de son exemplaire. Et parions qu'il t'aurait fallu quelques secondes pour la replacer en voyant son nom apparaître dans ta boîte de réception, si jamais elle t'avait écrit. Anne-Sophie qui ? Parce que, on dira ce qu'on voudra, un beau brin de fille avec de la repartie n'est pas un article si rare sur le marché pour qu'on en fasse un fromage chaque fois qu'on tombe sur un spécimen. Si ça n'avait pas été elle, une autre aurait aussi bien fait l'affaire ; si vous ne vous étiez pas croisés par hasard à la Plaza, un mois plus tard, tu serais peut-être en ce moment attelé à un passionnant Heurs et malheurs de Christine Lessard *ou un* Faits, gestes et opinions d'Anabelle Poirier *ou whatever. Ou tu serais encore sur le cas d'Agathe, plus vraisemblablement. Mais bon, le fait est que vous vous croisâtes bel et bien, par une belle journée de printemps, à la chic Plaza de la Mauricie, et il semble qu'une des conséquences accessoires de cette rencontre consistera en l'enrichissement de notre littérature d'une* Vie d'Anne-Sophie Bonenfant. *En tout cas, au rythme où tu y vas, on peut dire que c'est bien parti.*

De son côté, ce n'est point par négligence, encore moins par indifférence qu'elle ne t'avait pas écrit pour te faire part de ses impressions sur ton œuvre. Son intention avait largement dépassé le stade de la simple velléité, puisqu'elle était allée jusqu'à s'asseoir devant son ordinateur, lancer son logiciel de courrier électronique et inscrire ton adresse dans la case idoine. Elle avait ensuite passé de longues minutes à réfléchir avant de finalement se raviser. Et pourquoi ça ? Je te le donne en mille : parce que tu l'intimidais ! Sérieusement, peux-tu te rappeler la dernière occasion où tu as intimidé quelqu'un d'autre que le chat de la maison ? C'est d'ailleurs l'une des premières choses qu'elle t'a dites en t'abordant devant le Famili-Prix, où tu attendais ta mère : « Heille, je voulais t'écrire, c'est pas des jokes, je voulais te dire ce que j'avais pensé de ton livre, mais je trouvais que ça faisait... je sais pas... ça fait un peu nul d'écrire à un auteur... en tout cas c'est intimidant, pis t'sais je voulais pas avoir l'air de la fille... » Elle portait un tricot vert avec des motifs floraux au col et aux poignets, ses cheveux relevés en un lâche chignon, et le seul fait que tu aies noté ces détails est à mon avis assez significatif. Ce n'est pas le genre de chose que tu remarques habituellement. Elle était accompagnée encore cette fois de son amie Laurence, et également d'une grande blonde athlétique, assez attirante dans le genre beauté nordique – Stéphanie, dont tu ferais la connaissance par la suite. « Avoir l'air de la fille ?

– Bin, en tout cas, tu comprends ?

– Ouais, à peu près. Mais juste par curiosité : t'en as pensé quoi ?

– Heu... tu veux que je te dise ça là ? Dans le mail de la Plaza ? »

Non, tu n'y tenais pas vraiment. De toute façon, à la Plaza ou ailleurs c'était loin d'être ton sujet de conversation favori, mais bon, le fait qu'elle avait lu ton bouquin constituait ton unique lien avec cette fille franchement plus jolie que dans ton souvenir, alors s'il fallait en passer par là pour faire durer le moment, tu étais prêt à t'y coller. Juste comme tu allais convenir qu'en effet, le lieu et le moment étaient mal choisis pour une discussion littéraire, elle t'a pris de court avec cette proposition : «Mais... heu... si t'as le temps ces jours-ci, on pourrait peut-être aller prendre un café... bin si ça te tente. J'aurais plein de questions à te poser. Es-tu à Grand-Mère pour longtemps ?

– Une couple de jours. Toi ?

– Pour la semaine de relâche.

– C'est la semaine de relâche ?

– C'est ça qu'on m'a dit, en tout cas. J'espère que c'est vrai, sinon je manque une semaine de cours... Mais tu m'as pas répondu pour le café.

– Heu... oui, c'est sûr. Quand ça t'adonne ?

– Demain ?

– Parfait. Quelle heure ?

– Sais pas. Disons deux heures ? C'est une bonne heure pour un café ?

– Idéale. Donc, on se dit : deux heures à la Voûte ? »

Ayant ainsi convenu d'un rendez-vous, vous vous êtes séparés. Quand ta mère est sortie du Famili-Prix, quelques minutes plus tard, pour t'annoncer qu'elle en avait fini avec ses emplettes, il lui a bien fallu répéter ton nom trois ou quatre fois pour te faire sortir de la lune. Ça commençait à le faire, hein ? Tu es resté plongé dans tes pensées sur le chemin du retour, regardant défiler les concessionnaires d'automobiles le long du boulevard des Hêtres en te demandant ce qu'elle avait pu vouloir dire par : «J'aurais plein de questions à te poser.» Plus tu y réfléchissais, plus cette histoire de café te semblait un mauvais plan. Discuter le bout de gras quelques minutes avec une jolie fille croisée dans un salon du livre ou dans un centre commercial, ça va, on demeure en superficie – ton domaine, ça –, mais l'espace de temps sous-entendu par la locution « prendre un café » (au moins une grosse heure dans la plupart des pays civilisés) est largement supérieur au temps qu'il faut pour te démasquer en tant qu'insignifiant. De quoi diable alliez-vous parler tout ce temps-là ? N'aurait-il point été plus sage de la laisser sur la bonne opinion que manifestement elle avait de toi ?

À ton immense étonnement, ces craintes se révélèrent hors de saison. Entretenir une conversation avec Anne-Sophie Bonenfant s'avéra la chose la plus aisée du monde, même pour un type comme toi. (Par « un type comme toi », j'entends un type éprouvant des difficultés à soutenir un dialogue avec le service de réponses automatisées du 411.) Cela tenait, si on veut se donner la peine d'analyser, au fait qu'il n'entrait pas une once d'affectation dans la composition de sa personnalité, chose assez inusitée pour être soulignée, mais aussi à votre travers commun de tout tourner en dérision. La lueur d'ironie brillant en permanence dans ses grands yeux bleus – gris ? – d'héroïne de dessin animé japonais, ajoutée au sourire dubitatif qui venait souligner certains de ses propos, suggérait l'idée un peu choquante qu'elle pouvait trouver matière à amusement jusque dans les circonstances les plus solennelles, ce qui lui avait valu, dans son enfance, de s'attirer les épithètes de « petite baveuse » ou de « petite effrontée » de la part de maintes grandes personnes. Cela rehaussait grandement son charme à tes yeux et, en retour, il y a fort à parier que c'est en raison de ton incapacité à écrire un seul paragraphe ou de prononcer une seule parole sans caboter qu'elle te surestimait en tant qu'auteur et en tant qu'individu. Bref, elle et toi formiez une belle paire de petits comiques et avant le premier refill vous étiez déjà comme cul et chemise.

Histoire de briser la glace, vous êtes d'abord revenus sur la question des connaissances communes, sujet que vous avez *mis deux bonnes heures à épuiser, bombardant d'épigrammes fielleuses à peu près toutes les personnes connues de vous, avec une attention particulière pour le corps enseignant et le personnel de soutien de la Polyvalente du Rocher. De grands éclats de rire ponctuaient cette intéressante conversation, et rien n'égalait votre satisfaction lorsque vous découvriez que vous pensiez du mal de la même personne. À mon avis le hasard aurait été plus grand si vous aviez pu citer quelqu'un dont vous pensiez tous deux du bien, mais bon. Vers quatre heures, Anne-Sophie décréta que son organisme tolérerait difficilement une goutte de café de plus, déclaration assez naturelle après six ou sept tasses, mais qui pourtant te bouleversa, car maintenant que vous l'aviez pris, ce café, que vous restait-il à faire sinon enfiler vos petites laines et partir chacun de votre côté ? La simple pensée de la voir s'en aller, là, tout de suite, t'était insupportable et la liste des choses que tu aurais été prêt à faire pour retarder votre séparation, ne serait-ce que de dix minutes, aurait donné froid dans le dos à n'importe qui jouissant d'un certain équilibre mental. Tu t'en faisais pour rien, évidemment : elle n'avait pas plus envie que toi d'en finir, sa sortie contre le café n'était qu'une manière subtile de te faire entendre qu'il ne serait sans doute pas inconvenant, à cette heure de la journée, de songer à délaisser les boissons infusées pour les fermentées. Message qu'elle ne tarda pas à rendre plus explicite en faisant remarquer que le happy hour approchait à grands pas avec ses gros pichets à 8,50 $ et qu'il eût été impoli, voire carrément grossier, de lever le nez sur un deal aussi généreux. La minute suivante, l'un de ces gros pichets – que la tenancière eut la complaisance de vous facturer au prix du happy hour, bien qu'on en fût à une vingtaine de minutes du début officiel – était déposé sur votre table, accompagné de deux verres. Il fut bientôt remplacé par* *un autre, puis un autre, et encore un autre et puis soudain : last call ! Quoi ! déjà ? Vous faites les last call de bonne heure dans le coin. Hein ? Trois heures et quart ? Tu nous niaises ! Mets donc la tévé à MétéoMédia, pour voir. Bin calice, yé trois heures pour vrai... Après le after hour qui, comme son nom ne l'indique pas, s'étendit sur deux heures, vous aviez continué à commander des pichets avec une belle régularité, pas effrayés pour deux sous par leur retour au prix normal de onze dollars. Disons qu'à cette heure le prix de la bière se situait assez loin dans la nébuleuse de tes préoccupations ; on te l'aurait vendue vingt dollars le verre que tu n'en aurais pas moins continué de tendre ta carte de débit d'un geste distrait à chaque passage de la tenancière à votre table.*

Et de quoi avez-vous parlé pendant cette demi-journée passée en tête à tête au Café de la Voûte ? Oh, mon dieu ! Il serait moins long de faire la liste des sujets que vous avez négligés de traiter. Mais de toute façon, comme c'est toujours le cas dans ces occasions-là, les paroles échangées revêtaient une importance toute secondaire. Qu'est-ce que j'entends par « ces occasions-là » ? Oh ! ne fais pas l'idiot ! Je parle bien sûr de ces occasions où un garçon et une fille sont en train de tomber amoureux l'un de l'autre. Car c'est bien ce qui était en train de se passer, et si les choses s'étaient déroulées normalement – mais les choses normales, très peu pour toi, hein ? On est snob ou on ne l'est pas –, tu aurais « été avec » dès ce soir-là, comme disent les gens vulgaires. En fait, il y a fort à parier que tu serais sans peine parvenu à « scorer », comme disent les gens vraiment pas sortables. Et après ? Après : elle et toi en couple. Officiellement. Invités dans vos partys de Noël respectifs à vous entendre dire par des matantes : « Ah bin ! Comme ça c'est lui (elle) ton (ta) petit(e) chum (blonde) ! Depuis le temps qu'on en entend parler ! » Anne-Sophie et toi en amour, heureux comme dans un film d'ado, totalement nunuches et immensément fiers de l'être. Diantre, mais comment font les autres – ces sept milliards de malheureux ! – pour supporter de n'être pas nous ? Pauvres eux autres ! C'est si bon d'être nous, la plaie qu'il n'y ait que vingt-quatre heures dans une journée, qu'on ne puisse pas être nous plus longtemps ! Embrasse-moi mon amour, ça doit bien faire une minute que tu ne m'as pas embrassé, non, non, ne va pas aux toilettes, je vais trop m'ennuyer, pisse dans tes culottes. Fast forward sur quelques années. Qu'est-ce que t'as le goût de faire à soir mon amour ? Sais pas, toi ? As-tu pensé à acheter de la bouffe au chat ? Le chat n'a plus de bouffe ? Je te l'avais dit à matin, tu m'avais dit que tu passerais en acheter en rentrant. J'ai dit ça, moi ? Fast forward. Qu'est-ce que t'as t'as l'air bizarre depuis un bout non rien j'ai rien je vois bien qu'il y a de quoi pourquoi tu veux pas me le dire je te dis qu'il y a rien t'es donc bin fatigant je te dis qu'il y a rien mais t'sais je sais pas c'est pas comme avant qu'est-ce que tu veux dire par pas comme avant avant quoi d'abord je sais pas laisse faire j'aurais pas dû dire ça on peut jamais rien te dire ça revire toujours en chicane je veux pas me chicaner je veux juste comprendre ah et pis fuck. Fast forward. Écoute, je pense qu'on a besoin de temps pour réfléchir. Fast forward. Vas-tu être là après-midi ? Ma sœur va passer chercher mes affaires. Fast forward. Eh ! Si c'est pas Anne-Sophie Bonenfant ! Ça fait un bail ! Qu'est-ce que tu fais de bon ? T'as l'air en forme. Moi ? Bof, la routine.

Ce film – scénario éculé, réalisation bâclée, interprétation dans le ton voulu – te passait devant les yeux dans les toilettes de la Voûte, pendant que le restant de tes facultés mentales était consacré à faire en sorte qu'une proportion raisonnable du volume total d'urine expulsée atteigne la cuvette. Il faut croire que tu es plutôt bon public pour tes propres élucubrations, à moins que ça soit l'alcool qui te rende sentimental, mais le fait est qu'il t'amenait au bord des larmes, ce navet. Il a fait si forte impression sur toi que c'est grâce à lui que tu as trouvé la force de résister à la tentation, alors que tu la raccompagnais dans le Domaine et que ses yeux et toute son attitude disaient : « Embrasse-moi ! » aussi clairement que si elle l'avait hurlé dans un porte-voix. Pas beaucoup de mâles hétérosexuels intoxiqués à la Labatt Bleue auraient pu en faire autant. Bravo champion ! Finement joué. Mais qu'est-ce que tu voulais, au juste ? Peux-tu m'expliquer ça ? Oui, je sais, ce que tu voulais c'était elle, toute elle et pour toujours, je posais la question pour la forme. Si la chose avait été possible, tu l'aurais dissoute dans l'eau et tu l'aurais bue. Oui, OK, mais une fois admis qu'une telle prouesse est irréalisable, c'est quoi le plan B ? Comment s'approprier une fille, la faire sienne le plus que ça se peut sans mettre le pied sur la pente savonneuse menant au : « Qu'est-ce que tu fais de bon ? T'as l'air en forme » ? En devenant son biographe ! Celle-là aussi tu l'avais imaginée dans les toilettes, et tu t'étais trouvé si brillant sur le coup que tu en avais oublié les autres opérations en cours. Tant pis pour le gars qui torche les chiottes de la Voûte, n'avait qu'à pas lâcher l'école.

Plus tôt dans la soirée vous aviez brièvement parlé littérature. C'est là qu'elle t'avait avoué, en rougissant beaucoup, qu'elle aussi ambitionnait de devenir écrivaine, qu'elle n'était pas certaine d'avoir ce qu'il fallait, enfin, tu comprenais. Elle écrivait des histoires depuis toujours, juste comme ça, pour s'amuser, que ses parents et amis trouvaient géniales, évidemment, mais hein, pour ce que ça veut dire. Elle avait dans ses tiroirs des tas de nouvelles, et même un roman, terminé depuis un an mais qu'elle hésitait toujours à soumettre aux éditeurs. Te le faire lire ? Non, non, plutôt mourir ! De quoi ça parle ? Hum... dur à dire... c'est un gars qui... ah ! et pis non, ça se raconte pas vraiment. Mais, toi, de ton côté, comment ça s'était passé avec ton premier roman ? Combien de temps ça avait pris avant qu'il soit accepté ? Tu l'avais un peu découragée en lui apprenant que ton premier roman n'avait pas été accepté du tout, que pour être finalement publié tu avais dû en écrire un autre, un mot à la fois, que tu avais expédié aux mêmes comités de lecture qui, deux ans plus tôt, t'annonçaient la mort dans l'âme que tu ne correspondais pas à leur politique éditoriale. Ça doit être dur pour l'égo, ça, les lettres de refus ? Oui, bon, ça dépend, c'est sûr que quand la maison qui édite Denis Monette te trouve pas assez bon, ça passe raide, mais sinon tout le monde y a goûté, non ? On est en bonne compagnie dans le club des auteurs pour qui ça n'a pas marché du premier coup. Et là, dans le moment, sur quoi tu travaillais ? Sur rien. Tu étais pour ainsi dire «entre deux projets». Ça, c'est ce que tu racontais vers le deuxième ou troisième pichet, et ça correspondait assez à la réalité. C'est vers le cinquième que tu as été touché par l'inspiration divine, là que tu as lancé cette histoire de biographie et que tu as pu sans rire lui en parler comme d'un projet que tu mijotais de longue date, et non comme d'un flash que tu venais d'avoir en pissant, deux minutes plus tôt. Le plus dur, tu vois, Anne-So, ça va être de trouver un sujet. Pour bien faire, ça prendrait quelqu'un que je connais pas tellement, ou pas du tout, pour pas partir avec des idées préconçues, mais quelqu'un qui serait prêt à y mettre le temps et surtout qui me ferait suffisamment confiance pour accepter de me conter sa vie dans les moindres détails. Comment je trouve ça, quelqu'un comme ça, hein ? Je punaise une petite annonce dans le portique de la caisse pop ? Elle est tombée dans le panneau, évidemment. Elle, servir de modèle à un véritable écrivain ! Pas un type à barbiche sirotant

*sa pinte d'importée au Cercle, déclarant à qui veut l'entendre :
« Ouais, bon, tu vois, j'écris » et devenant évasif dès qu'on lui
demande ce qu'il écrit, au juste. Non, non, un écrivain pur
jus, the real deal, un dont les livres en véritable papier étaient
imprimés dans de véritables imprimeries et s'échangeaient
contre des véritables dollars dans de véritables librairies !*

*Alors que vous titubiez au milieu de la Quatrième Rue en
direction du Domaine, appuyés l'un sur l'autre sans qu'il soit
possible de déterminer qui, au juste, soutenait qui, vous avez
échangé vos numéros de téléphone – plaisir presque indécent
de tracer des chiffres au feutre sur la peau de son avant-bras –
et convenu d'une rencontre quelques jours plus tard pour une
première... hum... « séance de travail ».*

Sortir du trou du cul du monde constitue un préalable à ce que Grand-Mère vous semble excitante. Oui, en vérité, il faut absolument débarquer d'une place comme Fort Selkirk (Yukon), Sevenovskoïe (Sibérie orientale) ou encore Kipaowé (Abitibi-Témiscamingue) pour trouver des airs de Babylone à ce bled apathique, à ce club de l'âge d'or à ciel ouvert désigné par l'administration sous le nom de Shawinigan secteur Grand-Mère. Le choc fut violent. L'été précédent leur retour, Anne-Sophie avait accompagné France et mononcle Alex au Provigo, et déjà cela lui avait causé une forte impression – tous ces gens, toute cette nourriture qu'ils jetaient dans des chariots, toutes ces autos dehors – mais elle avait alors raisonnablement décidé que l'édifice englobant le Provigo et le People's, ainsi que le stationnement, le comptoir à crème glacée le jouxtant et les quelques maisons qu'on pouvait voir alentour, que tout cela constituait une ville à part entière, que c'était cela, en fait, Grand-Mère. Eh bien, non. Dès son arrivée, il lui avait fallu revoir à la hausse ses appréciations et apprendre à composer avec l'idée un peu inquiétante que cette agglomération était si vaste que deux personnes données pouvaient y habiter toute leur vie sans jamais se douter de leurs existences respectives. Elle en avait eu la preuve dès la première semaine, alors qu'elle accompagnait grand-maman Yvonne dans ses courses et qu'elle constata avec stupeur que celle-ci était incapable d'identifier la plupart des personnes dans la rue. C'est qui le monsieur ? Je sais pas, ma cocotte. Pis la madame, là, comment qu'elle s'appelle ? On la connaît pas, la madame, ma cocotte.

Non seulement l'îlot constitué de Provigo, de People's et de l'Ambroisie ne représentait qu'une infime partie de ce monstre tentaculaire, mais ledit îlot était situé suffisamment loin de leur demeure pour qu'il faille s'y rendre en automobile. Et tout cela – le croira qui peut – par voies asphaltées ! Plus fort encore : s'il vous prenait la fantaisie de vous y rendre en empruntant la Quinzième Rue, arrivé au coin de la Sixième Avenue vous pouviez apercevoir un feu de circulation ! Bon, d'accord, Anne-Sophie savait déjà ce que c'était pour en avoir vu dans *Suzy la petite voiture,* mais comme on trouvait également dans ce livre une locomotive qui parle, elle avait eu la sagesse de ne point le considérer comme un ouvrage de référence. Les feux de circulation avaient donc à ses yeux le même statut que les lampes magiques et les tapis volants. Inutile de dire que leur existence remettait beaucoup de choses en question.

Elle avait du mal à s'expliquer que, bien que sa famille et elle habitassent désormais une municipalité aux proportions incommensurables, leur maison aurait tenu trois fois dans celle qu'ils venaient de quitter. Il s'agissait pourtant d'une demeure qui, selon les critères ordinaires, pouvait être qualifiée de vaste et, à bien y penser, le pavillon de mamie Saint-Gelais, où elle avait envisagé de s'établir quelques mois plus tôt, y aurait tenu quelque chose comme quatre ou cinq fois. Nonobstant cela, elle ne put s'empêcher d'exprimer sa déception en termes quelque peu abrupts. Toutefois, bien que la relative exiguïté des lieux fût encore aggravée, pendant les deux premiers mois, par la présence de Valérie et de Samuelle, elle ne tarda pas à s'en accommoder, en raison justement de l'atmosphère de fête résultant du séjour prolongé de ses deux cousines. Elle et Samuelle devinrent tout de suite de grandes amies. Sam, de six mois son aînée et citadine consommée, la prit sous son aile et entreprit de l'initier aux rouages de la vie civilisée. Elle avait déjà perdu une dent – que la fée des dents lui avait troquée contre un dollar – et on avait depuis peu ôté les petites roues à l'arrière de sa bicyclette, deux événements qui auraient amplement suffi au prestige de n'importe quelle petite fille, mais si on ajoute à cela que les questions de préséance dans les glissoires et tunnels du parc n'avaient aucun secret pour elle et qu'elle entrait dans le vestiaire des filles de la barboteuse municipale comme si la place lui appartenait, on comprendra alors que l'admiration d'Anne-Sophie ne connût point de borne. Elle vécut, sous le patronage bienveillant de cette cousine, un premier été en ville édénique, malgré les événements tragiques que traversait la famille Labelle à ce moment-là. Car c'est une chose connue que la définition de ce qu'est une tragédie peut différer de façon considérable selon l'âge. (Oh ! la vilaine jalousie qu'on éprouve, enfant, pour ces petits Kosovars ayant une ville bombardée pour terrain de jeu ; le sentiment d'injustice qui nous étreint en voyant aux infos ces enfants soldats africains à qui l'on confie de vraies mitrailleuses, pas des en plastique. Non, franchement, pourquoi faut-il que ce soit toujours les mêmes qui aient tout ?)

Le jour même où Anne-Sophie emménageait dans sa nouvelle maison, son cousin Simon, chez qui on venait de diagnostiquer la maladie d'Alexander, était admis à l'hôpital Sainte-Justine, où il mourrait deux mois plus tard. Matante Diane et mononcle Pierre s'installèrent chez les parents de ce dernier, à Longueuil, et se relayèrent au chevet de leur fils jusqu'à la fin. La maladie d'Alexander est une forme particulièrement rare de leucodystrophie, un groupe de maladies d'origine génétique affectant la myéline (ou substance blanche) du système nerveux central. Elle ne représente statistiquement rien ; les risques d'en être atteint sont à peu près aussi grands que les chances de gagner à la loterie. Selon les données françaises, la prévalence est de 1 pour 100 000 naissances, soit un maximum de sept nouveaux cas par année sur le territoire français. En supposant qu'il en aille de même pour le Québec, cela donne, toutes proportions gardées, un cas par année. En 1990, Simon Doyon-Labelle fut l'heureux élu.

France avait proposé à sa sœur de garder Sam et Val le temps que cela serait nécessaire, se promettant de faire tout en son pouvoir afin d'atténuer leur peine. Projet honorable, certes, mais vain puisque ni Sam ni Val ne ressentaient le moindre chagrin. Cette dernière, âgée alors de trois ans et demi, n'ignorait pas que Simon était à l'hôpital, mais elle aussi était déjà allée à l'hôpital, la fois où elle était tombée en tricycle du perron chez mamie Yvonne. On lui avait fait quatre points de suture, elle avait beaucoup pleuré, mais elle s'en était vite remise. Sam, quant à elle, à quelques semaines de son sixième anniversaire, comprenait un peu mieux ce qui se passait, elle savait que les gens mouraient parfois – ils allaient alors au cimetière –, mais ces gens étaient très vieux et surtout c'étaient des gens que l'on ne connaissait pas. D'ailleurs, Anne-Sophie s'était vite chargée de dissiper les quelques doutes qui auraient pu subsister dans son esprit. Elle connaissait aussi l'existence des cimetières, mais elle partageait à cet égard la raisonnable opinion de sa cousine : être très vieux et ne point compter Anne-Sophie Bonenfant et Samuelle Doyon-Labelle parmi ses relations étaient des conditions *sine qua non* pour qui aspirait à décéder. Autre facteur militant en faveur d'un prompt rétablissement de Simon : Anne-Sophie qui avait, à ce jour, consommé un nombre respectable d'œuvres de fiction était en mesure d'affirmer que lorsque quelqu'un tombait malade, même très malade, il finissait toujours par guérir à la fin. Parfois grâce à une fleur magique qu'il fallait aller quérir sur une haute montagne, mais parfois aussi juste comme ça. Inutile de dire qu'elle en resta comme deux ronds de flan, deux mois plus tard, chez Pellerin et Fils, devant le petit cercueil où reposait son cousin, quand elle constata que son érudition l'avait trahie, qu'il arrivait (oh ! le plus rarement possible, espérons-le) que la vie n'imite point la littérature, et surtout qu'il n'était pas tout à fait impossible que des personnes ni vieilles ni inconnues en viennent à trépasser. Ainsi donc, tout le monde pouvait mourir ? Elle avait posé la question de but en blanc à mononcle Alex, le premier jour où Simon fut exposé. Vraiment tout le monde ? Même papa ? Même Émile ? Eh bien, non seulement tout le monde *pouvait* mourir, mais il semblait que tout le monde *allait* mourir. À quoi bon vivre, alors ? Bien sûr, elle ne formula pas la question en ces termes, mais elle ressentit pendant quelques secondes le vertige du néant et le sentiment aigu de la vanité de toute chose. Des préoccupations plus concrètes (à savoir : la rentrée scolaire dans trois jours) l'empêchèrent heureusement de se complaire outre mesure dans les angoisses métaphysiques, mais ce coup porté à ses certitudes l'affecta néanmoins de façon durable. Surtout, elle se sentirait longtemps coupable de s'en être payé une bonne tranche pendant que Simon agonisait.

Mais en ce début d'été, ces calamités que sont la mort et l'école n'existaient pas, sinon à l'état de vagues notions. C'est le 24 juin qu'on sut avec certitude Simon atteint de la maladie d'Alexander. Ce mal étant, comme je le disais, extrêmement rare, on fut long avant de finalement s'entendre sur un diagnostic. Entre l'apparition des premiers symptômes, à la fin de l'hiver, et ce 24 juin, on avait attribué au garçon quelque chose comme cinq maladies, certaines mortelles, d'autres pas, ce qui avait mis les nerfs des parents à rude épreuve, si bien que le chagrin qu'ils éprouvèrent en sachant leur fils condamné s'accompagna d'un certain soulagement. Le reste de la famille n'apprit la nouvelle que le lendemain, car ce jour-là tout le monde était au parc pour la Saint-Jean-Baptiste. À l'exception de Simon et de ses parents – et de la petite Marie-Ève, confiée aux soins de son grand-papa Lionel, à qui ce prétexte pour couper aux festivités causa une vive satisfaction –, le clan Labelle était là, y compris matante Caro, descendue de Québec la veille avec Philippe et Frédérique. Mononcle Alex était accompagné de sa blonde, une certaine Julie, qui trouva grâce aux yeux d'Anne-Sophie en raison de certains commentaires laudateurs formulés à son endroit (« T'es donc bin belle, toi ! T'as l'air d'un p'tit ange ! »). On avait convenu d'arriver sur le site assez tôt dans l'après-midi afin de choisir un bon emplacement et de pique-niquer sur place. Vers six heures, selon les estimations d'Anne-Sophie, la totalité de la population mondiale était réunie au bord de la rivière Welch, aussi accueillit-elle avec étonnement ce commentaire, émis par grand-maman Rose : « Ouin, le monde commence à arriver... » En effet, le flot des gens transportant couvertures, glacières et chaises pliantes ne semblait pas prêt de se tarir. Elle put constater, à cette occasion, que son papa connaissait personnellement une portion importante des habitants de cette planète, chose qui lui causa une grande fierté. Il ne se passait pas une minute sans que quelque quidam vienne l'aborder : « Heille Bonenfant ! Criss, man, oussé qu't'étais passé ? C'est à toé ces enfants-là ? Ça t'en fait combien, là ? Quatre ! Sacramant, tu marches ! » Etc.

Comme toutes les autres Saint-Jean auxquelles elle assiste-rait dans son enfance, celle-ci se passa dans une fiévreuse expectative. Attendre son tour dans les jeux gonflables, attendre que ce soit l'heure de manger, attendre en file aux toilettes chimiques, attendre qu'on se décide à allumer le feu... « C'est quand, maman, qu'ils vont allumer le feu ? – Quand il va faire noir, mon amour. – Quand il va faire juste un petit peu noir, ou quand il va faire noir noir ? – Noir noir. – Comment ils vont faire pour aller allumer le feu sur l'île ? – Le monsieur va y aller en chaloupe, mon amour. – C'est qui le monsieur qui va mettre le feu ? – C'est le président d'honneur, mais je sais pas c'est qui cette année. – Grand-maman ! Tu le sais-tu c'est qui le président d'honneur cette année ? – Non, ma cocotte, grand-maman le sait pas. – Maman ! Là il fait noir noir pis ils allument pas le feu ! – Ça devrait pas être long. – Cinq minutes ? – Peut-être, mon amour. – Peut-être que la chaloupe est brisée. – Ça me surprendrait. » Quand le président d'honneur de la Société Saint-Jean-Baptiste de Grand-Mère daignait enfin s'embarquer, sous les beuglements enthousiastes de milliers de patriotes avinés, pour son périple à destination de l'îlot sur lequel était érigé le bûcher, l'animateur de la soirée y allait d'un salut au drapeau dont le point culminant (« Viiiiiive le Québec ! Viiiiiiiive son drapeau ! ») coïncidait avec les premières flammes montant vers le ciel. S'ensuivait la prestation d'un groupe local reprenant toutes ces chansons qu'il est obligatoire d'entendre en cette journée mais dont on ne veut rien savoir le reste de l'année. Puis c'était le début d'une nouvelle attente. « Maman, c'est quand les feux d'artifice ? – Quand le feu va être fini, mon amour. – Fini au complet ou juste un petit peu fini ? » Etc. Enfin, au moment où l'auteur de ces lignes était sans doute affairé à dénicher un endroit point trop peuplé pour y dégobiller, ou encore à tester ses charmes auprès de quelque vague créature, arrivait la fameuse « apothéose » promise depuis des heures par l'animateur et forcément décevante, comme toutes les choses dont on parle trop longtemps à l'avance. On ramassait ensuite couvertures, chaises, glacières et enfants endormis, et on regagnait son véhicule en enjambant moult caisses de 24 vides et quelques corps inanimés.

Il fit très chaud le lendemain et toute la compagnie se transporta au chalet des Labelle. Le spectacle qui s'offrit aux yeux d'Anne-Sophie et de ses cousin et cousines lorsqu'ils entrèrent les cloua sur place : grand-maman Rose pleurait à la table de la cuisine, pendant que grand-papa Louis-Marie, debout derrière elle, lui tapotait l'épaule pour la réconforter. Aucun des enfants, pas même les jumeaux dont l'expérience de vie couvrait une décennie entière et qui, en conséquence, avaient eu le temps de voir neiger, aucun des enfants présents n'aurait cru, avant d'en être témoin, qu'il fût de l'ordre du possible qu'une grand-maman pleure. Anne-Sophie, qui avait eu son lot de surprises ces derniers temps, fut la première à retomber sur ses pieds et à être en mesure de poser la question qui leur brûlait les lèvres : « Pourquoi tu pleures, grand-maman ? » Elle pleurait parce qu'elle venait de recevoir un appel de matante Diane lui apprenant que le diagnostic était tombé, que dans le meilleur des cas Simon n'en avait plus que pour deux ou trois mois à vivre. Mais cela, Anne-Sophie ne l'apprit que plus tard. À peine finissait-elle de formuler sa question que France et matante Caro entraient à leur tour. Apercevant leur mère en pleurs, elles surent tout de suite de quoi il retournait et leur premier soin fut d'évacuer les enfants, confiant à leur frère le mandat de les occuper une heure ou deux. Une partie de pêche aux queues-de-poêlons fut promptement organisée par mononcle Alex, qui s'empressa de donner à chacun une mission : « Émile, Philippe, vous allez me chercher un vieux moustiquaire dans la shed, si vous en trouvez plus qu'un c'est encore mieux ; Anne-So pis Fred, vous allez dans le garde-manger me trouver une boîte de biscuits soda pour attirer les queues-de-poêlons ; Sam, va en bas pis prends la grosse chaudière blanche ; Steph, toi tu vas guetter la p'tite ; Val, tiens la main à Stéphanie. » Cinq minutes plus tard on était en route vers une petite lagune où, selon les dires de mononcle Alex, se trouvait une colonie de queues-de-poêlons. Anne-Sophie aurait volontiers passé son tour : les queues-de-poêlons seraient encore là demain, mais une grand-maman qui pleure constituait sans doute un événement aussi rarissime qu'une tempête de neige en juillet. Seulement, elle se rendait bien compte que cette partie de pêche visait avant tout à les éloigner, aussi suivit-elle le groupe à contrecœur, se promettant tout de même d'interroger son oncle en cours de route. Ça n'était pas exactement comme de recevoir ses renseignements directement de la bouche du cheval, mais en tant que grande personne il était forcément dans le secret des dieux.

Il était surtout d'une éloquence redoutable et possédait l'art de parer des plus vives couleurs les choses les plus banales, si bien qu'elle en oublia ses questions et se laissa vite persuader que la pêche aux têtards était de loin le passe-temps le plus délicieux auquel un mortel pût se livrer. Les attraper à l'aide de la moustiquaire, les emprisonner dans le seau, leur trouver des noms, leur inventer des personnalités et des biographies, puis les relâcher dans le lac et en capturer une nouvelle fournée. Vers la fin de l'après-midi, alors que chacun des têtards du lac avait fait, en moyenne, trois stages dans le seau, porté trois noms différents et exercé à peu près tous les métiers, Louis vint les rejoindre et annonça qu'il emmenait tout le monde manger chez McDonald's. Cris de joie de tous les enfants, même des petits Bonenfant qui pourtant n'avaient qu'une idée vague de ce qu'on servait dans cet établissement. En fait, Philippe et Frédérique n'en savaient rien non plus, sinon par ouï-dire, leur mère boycottant farouchement ces lieux de perdition que sont les chaînes de restauration rapide. (Il fallait vraiment des circonstances extraordinaires pour qu'elle acceptât de lever l'interdit.) Seules Val et Sam y avaient leurs habitudes et passèrent en conséquence tout le temps du trajet à affranchir les autres, débitant d'un ton docte les divers articles du menu, exprimant leurs coups de cœur et leurs dégoûts en termes catégoriques. Le filet de poisson était à éviter absolument (« dégueu ! ») ; si on prenait des croquettes de poulet il fallait demander la sauce aigre-douce, pas celle au miel, etc. Rappelons-nous qu'à cette époque lointaine le McDonald's jouxtant le Village d'Émilie n'existait pas encore et qu'il fallait se rendre à Shawinigan pour assouvir ce besoin naturel que constitue l'ingestion de Big Macs. Cette première visite chez Ronald se doublait donc d'une première incursion en territoire shawiniganais pour Anne-Sophie, reculant encore davantage les frontières du monde asphalté, agrandissant jusqu'à des proportions absurdes le royaume des feux de circulation.

Étrange journée que ce 25 juin 1990, commencée par l'étrange spectacle d'une grand-maman en pleurs, poursuivie dans ce lieu étrange à dévorer cette chose sucrée, chaude et spongieuse, terminée d'une façon tout aussi étrange par maman qui, au lieu de lire une histoire avant le dodo, explique à ses trois enfants qu'il allait falloir se montrer très gentil avec Val et Sam parce qu'elles vivaient des moments très difficiles, que Simon était très malade, qu'il allait mourir ; assez étrange comme journée pour qu'on s'en souvienne presque vingt ans plus tard, qu'on s'en souvienne jusque dans ses détails les plus insignifiants – cette queue-de-poêlon que Stéphanie avait baptisée Joe, comme Joe McIntyre des New Kids on the Block. « Est-ce qu'il va aller au ciel, Simon ? » Étrange question de Stéphanie. Qu'irait-il faire au ciel ? Non, il va aller au cimetière, c'est vrai, hein, maman, qu'on va au cimetière quand on meurt ? Objection de Stéphanie : oui, d'accord, on va au cimetière en premier, mais ensuite on va au ciel. La grand-mère de Jade est morte, pis là elle est au ciel. C'est vrai, hein, maman, qu'on va au ciel quand on meurt ? Question à cent dollars d'Anne-Sophie : mais c'est qui qui vient nous déterrer au cimetière pour qu'on aille au ciel ? Confusion de France qui se dit qu'il aurait été plus simple, tout compte fait, de raconter à ses enfants les mêmes menteries que celles qu'on lui avait racontées dans sa jeunesse, sauvée *in extremis* par Val et Sam sortant du bain et requérant ses offices pour démêler leurs cheveux et enfiler leurs pyjamas. Ensuite, discussion jusque très tard entre Anne-Sophie et Samuelle, débouchant sur les rassurantes conclusions évoquées plus haut. Non, Simon ne mourrait pas, la chose était tout simplement impossible.

Samuelle avait reçu un appel de ses parents en revenant du McDo (« J'ai parlé plus à papa parce que maman pleurait trop »), et on lui avait exposé la situation avec tous les ménagements possibles. Il était prévu qu'elle et sa petite sœur iraient passer deux jours à Montréal la semaine prochaine – Louis les accompagnerait – pour qu'on se retrouve en famille une dernière fois. Les médecins avaient prévenu Pierre et Diane que la condition de Simon irait en se détériorant de plus en plus rapidement et qu'en conséquence le plus tôt serait le mieux pour les adieux. Nullement inquiète quant au sort de son grand frère, Samuelle avait surtout retenu de sa conversation avec son père cette perspective d'un voyage à Montréal. Anne-Sophie remarquait, pour sa part, que son nom n'avait point été prononcé en cette circonstance. Un simple oubli, espérait-elle. D'une manière générale, elle n'aimait pas trop que l'on organisât des expéditions sans l'inclure, mais surtout elle brûlait de connaître ce qui se cachait sous ce nom de Montréal que l'on retrouvait dans nombre d'expressions courantes (les Canadiens de Montréal, le *Journal de Montréal,* la Banque de Montréal, etc.) et dont elle avait vu des images dans les volumes d'architecture de son père. Samuelle y était déjà allée puisque ses grands-parents Doyon habitaient tout près. « Mais j'étais trop petite, je m'en souviens pas », précisa-t-elle, avec une honnêteté qui l'honore.

Il se trouva malheureusement que l'exclusion d'Anne-So du périple ne relevait pas de l'omission. Voyant le jour du départ approcher sans que personne songe à la prier d'honorer de sa présence la banquette arrière de la fourgonnette familiale, elle se résigna à marcher sur son orgueil et à laisser entendre qu'il n'était pas impossible, dans l'éventualité où une telle invitation serait formulée, qu'elle daigne se laisser fléchir. « Non, mon amour, toi tu vas rester ici avec moi. Toi pis Stéphanie vous allez m'aider à faire un gâteau pour la fête à papa. Mais faut pas lui en parler, c'est une surprise. » Bien qu'il ne lui vînt pas à l'idée de l'exprimer en ces termes, elle considérait ce prix de consolation comme l'équivalent exact d'un coup de pied au cul. Cependant, elle savait déjà choisir ses combats ; sachant celui-ci perdu d'avance, elle ne dépensa pas d'énergie ni ne compromit sa dignité à tenter de renverser la décision de ses parents. D'ailleurs, le compte-rendu de Samuelle, à son retour, eut l'heur de la rasséréner : « C'était plate, on n'a rien fait, on est restés tout le temps à l'hôpital. Hier on a mangé chez mamie mais c'était pas bon. Simon s'est fait une amie chauve. » Si ça se trouvait, Anne-Sophie avait retiré une plus grande satisfaction à fomenter l'anniversaire de son père avec Stéphanie et France.

D'ailleurs, d'une manière générale, on s'amusait beaucoup avec maman. France, qui l'année précédente avait soutenu avec succès sa thèse sur le mouvement cathare et savait tout ce qu'il est possible de savoir sur le sujet, des origines jusqu'à la croisade albigeoise ; qui lisait le vieux français aussi aisément que le nouveau ; qui comprenait du premier coup ce que Guillaume de Machaut voulait dire par : « Par engien fut fait vaisseau de fust / de cire moult est biau / et vuit et plain tout d'un poiz est / adevinez que c'est » ; qui demeurait imperturbable devant les facéties d'un Elvis Gratton mais qui riait de bon cœur avec Rutebeuf ; France, un an après l'obtention de son doctorat, ne ressentait point l'urgence de monnayer ses connaissances. Elle avait décidé d'attendre que Marie-Ève ait trois ans avant de prendre une décision quant à sa carrière, mais elle savait bien, sans encore oser se l'avouer, ce que serait sa décision. L'enseignement ne la tentait pas davantage que jadis et, de toute façon, le salaire de Louis leur assurait un train de vie plus que décent. Autre vérité qu'elle n'était pas tout à fait prête à s'avouer : sa vie de mère au foyer la rendait parfaitement heureuse et elle ne voyait pas de raison d'en changer. Aucune loi, après tout, n'interdisait à une maman d'être savante. Il était tout aussi faisable de surveiller les enfants au parc en lisant les *Chroniques* de Froissart que le *7 Jours* ; pour ce qui était de ces huit années passées sur les bancs d'école, elle ne songeait pas une seconde à les considérer comme du temps perdu.

Les jours où l'on n'allait pas au chalet de grand-maman Rose, on partait en promenade vers le parc de la Dixième Avenue ou encore celui situé près de l'école Laflèche – on apportait alors les costumes de bain. Stéphanie, Émile et Samuelle allaient en tête sur leurs bicyclettes, tandis que Valérie et Marie-Ève voyageaient dans le landeau « face à face » ayant appartenu aux jumeaux. Anne-Sophie, elle, cheminait à pied à côté de sa mère en tenant la laisse de Monsieur qui, à l'âge de six ans, se voyait imposer cet appareil pour la première fois de sa vie. Il arrivait que la voisine, qui s'appelait Bianca comme dans *Bernard et Bianca,* se joigne à eux avec ses deux enfants, des garçonnets encore aux couches. Quelquefois aussi on restait à la maison et France donnait aux fillettes des craies de couleur pour qu'elles dessinent dans l'allée du garage, ou encore elle se joignait à elles pour jouer à la marelle ou aux lettres, le jeu favori d'Anne-Sophie. Le maître du jeu pense à un mot, dont il trace la première lettre sur le sol. Les participants tentent de découvrir le mot en lui posant à tour de rôle des questions auxquelles il ne doit répondre que par oui ou par non. Quand l'un d'eux finit par le deviner, le maître se lance à sa poursuite en suivant un circuit préétabli (habituellement le tour de la maison) et doit le rattraper avant qu'il ne rejoigne le point de départ et ne mette le pied sur la lettre. Si le joueur parvient à distancer le maître, il devient le nouveau maître et propose alors une nouvelle lettre. Sinon, le maître conserve son titre, et ainsi de suite jusqu'à lassitude des participants ou jusqu'à ce que retentisse le cri : « Les enfants, venez souper ! » Ce dernier cas étant bien sûr le plus fréquent, surtout si les jumeaux avaient leur mot à dire, eux qui apparemment disposaient de réserves d'énergie inépuisables. Stéphanie, pour sa part, aurait carrément passé sa vie à jouer aux lettres, à la tag ou au ballon-milieu, en aurait fait une carrière si la chose avait été possible.

Émile, par contre, considérait ces jeux avec ses sœurs et ses cousines comme des pis-aller tout juste acceptables, aussi avait-il demandé à ses parents de l'inscrire à une quelconque activité sportive où il pourrait se frotter à des garçons de son âge. La chose posait problème si tard dans la saison, mais on réussit néanmoins à lui dénicher une place au sein des Rochers, l'équipe de baseball atome de Grand-Mère. Les après-midi de match, on allait le voir jouer, à pied si la partie se déroulait à l'un des terrains du complexe Frank-Gauthier, en auto si elle avait lieu dans quelque contrée lointaine, comme Sainte-Flore ou Saint-Georges-de-Champlain. Le spectacle de l'un de ces affrontements opposant les Rochers de Grand-Mère aux Moustiques de Sainte-Flore aurait facilement amené un aficionado de ce sport au bord de la crise de nerfs. De mémoire d'homme, jamais un des lanceurs de cette ligue n'avait réussi à loger une balle dans les environs de la zone des prises. Nonobstant cela, chaque présence au bâton, ou presque, se soldait par un retrait sur trois prises, les frappeurs s'élançant à chaque tir, en dépit du bon sens et des judicieux conseils des entraîneurs, parents et badauds. («Attends la tienne, mon Kevin, attends ta belle!») Mais Anne-Sophie était tout sauf un aficionado de la balle, aussi prenait-elle grand plaisir à ces rencontres. Elle éprouvait un orgueil ineffable à voir son grand frère dans son uniforme – pourtant hideux – et à entendre ses entraîneurs et coéquipiers lui prodiguer des encouragements depuis le banc. («Enwèye mon Émile, t'es capable! Manque-la pas! Attends la tienne!») Lors des matchs importants, un annonceur prenait place dans la petite cabane derrière le marbre, avec pour mandat d'instruire la foule de l'identité des frappeurs. «Le prochain frappeur pour les Rochers: Émile Bonenfant.» Dans ces cas-là, son ravissement était trop grand pour qu'elle résiste à la tentation de le partager. «As-tu vu ça, maman, le monsieur a dit le nom d'Émile! – J'ai entendu, mon amour. – Toi, Samuelle, as-tu entendu?» Stéphanie, un brin jalouse, déclarait que ça n'était pas la fin du monde, mais sans convaincre personne.

Il faut dire que la fierté d'Anne-Sophie n'était point entièrement dénuée de fondements, Émile étant l'un des rares joueurs de la ligue à effectivement toucher la balle de temps en temps et, encore mieux, à le faire de propos délibéré, particularité qui lui conférait, à juste titre, le statut de vedette au sein de son équipe. Il était plutôt grand pour son âge et sa longue portée, jointe à de bons réflexes, lui permettait d'atteindre des lancers passant à une bonne distance du marbre, et ainsi de placer la balle en lieu sûr. Il est à noter que cette dernière expression relève du pléonasme, les aptitudes défensives de la grande majorité des joueurs faisant en sorte que toute balle frappée tombait forcément en

« lieu sûr ». En fait, le résultat ordinaire de tout contact entre une balle et un bâton était un circuit à l'intérieur du terrain, et ce malgré les utiles conseils vociférés par les entraîneurs, parents et badauds à l'intention des joueurs en défensive : « Au premier ! Pitche au premier, Jessica ! Trop tard ! Au deux !... Au deux ! Trop tard ! Pitche au trois, Mathieu ! Au trois ! Au marbre ! Au marbre !... Au marbre !... Calice ! » Malgré ces débuts prometteurs, Émile décida d'accrocher ses crampons après son stage au sein des Rochers. Les étés suivants il se tournerait plutôt vers le soccer, sport nettement moins ringard à ses yeux, où il ne tarda pas à briller également. En attendant il s'essaya au hockey, là encore avec grand succès, ce qui est remarquable si on tient compte du fait qu'il arrivait chez les Pee Wee sans avoir suivi le cheminement habituel. Malgré son coup de patin supérieur à la moyenne, sa méconnaissance des règles de base fit en sorte qu'on l'assigna au niveau C, le plus bas, avec les filles, les asthmatiques et les petits gros. Il ne tarda pas à s'y démarquer, assumant à lui seul les deux tiers de la production offensive de son équipe, si bien qu'on le fit passer directement au A en cours de saison. Ses performances au camp d'évaluation, à l'automne suivant, lui valurent une place dans l'équipe BB – le calibre le plus élevé, Grand-Mère ne disposant pas d'un bassin de joueurs suffisant pour former une équipe AA compétitive. Ainsi, grâce à ses exploits sportifs, Émile, quelques mois à peine après son arrivée en ville, jouissait d'une grande popularité et disposait d'un impressionnant réseau social. À l'approche de son onzième anniversaire, il connut des angoisses affreuses quand ses parents le contraignirent à n'inviter pas plus d'une vingtaine de ses amis pour la fête. Il négocia pour porter ce nombre à vingt-cinq, mais même dans ce cas il dut longer les murs à l'école, la semaine suivante, de peur d'une rencontre avec l'un des nombreux laissés-pour-compte.

Louis et France eurent eux aussi une vie sociale passablement effervescente à leur retour. Après cinq ans passés loin de leur cadre familier, ils rattrapaient le temps perdu, allaient au cinéma et au restaurant, recevaient ou visitaient leurs amis. Anne-Sophie aimait bien quand ses parents sortaient, puisque c'était alors grand-maman Yvonne qui venait garder et il était possible d'abuser de son bon naturel pour l'arnaquer quant à l'heure du coucher. Avec un peu d'éloquence, on pouvait même couper au bain en faisant croire qu'on l'avait déjà pris le matin. (Y a-t-il en ce bas monde félicité plus grande que d'aller au lit sans prendre son bain ?) Pourtant, bien qu'elle tirât une grande satisfaction à manger la laine sur le dos de son aïeule, Anne-Sophie préférait de loin quand Louis et France faisaient les honneurs de leur maison à leurs amis. Un peu parce qu'elle ne se sentait jamais tout à fait à son aise lorsqu'elle se savait à plus d'un jet de pierre de sa maman, mais surtout parce que la visite, ça met de l'action. Dans ces cas-là, les grandes personnes mangeaient plus tard et il y avait un menu spécial pour les enfants, la plupart du temps des hamburgers et des hot dogs sur le charcoal, apprêtés par papa pendant que maman faisait les derniers préparatifs dans la maison.

Contrairement aux fois où grand-maman gardait, c'était les enfants qui se faisaient filouter sur l'heure du coucher quand les parents recevaient. On les envoyait au lit plus tôt, mais il s'agissait d'un perdu pour un gagné, car c'était au coucher que le vrai plaisir commençait. On organisait alors des missions pour espionner la conversation des grandes personnes. Stéphanie venait rejoindre Sam et Anne-So dans leur chambre (Valérie dormait depuis longtemps et Émile dédaignait ces amusements), et l'on allait à tour de rôle se poster au haut de l'escalier pour entendre ce qui se disait en bas. Au bout de cinq minutes, on retournait à la chambre raconter aux deux autres, qui trépignaient d'excitation, les merveilles que l'on avait pu ouïr et, après en avoir fait une glose exhaustive, une nouvelle expédition était levée, et ainsi de suite jusqu'à ce que la visite parte ou qu'on se fasse prendre.

Le couple d'amis préféré d'Anne-Sophie était composé de Robert, le collègue de Louis, et de sa femme Sylvie, chez qui on allait parfois passer des journées en famille. Leur maison était située à Notre-Dame-du-Mont-Carmel, ce qui signifiait qu'on devait traverser le barrage de la Gabelle pour s'y rendre. Bon, il est un peu abusif de prétendre qu'on le « devait », on aurait tout aussi bien pu, par exemple, passer par Shawinigan-Sud, mais quel lugubre personnage faut-il être pour se priver sciemment du bonheur de traverser la Gabelle ! Sa situation de l'autre côté du barrage suffisait à rendre la demeure des Desaulniers infiniment attrayante aux yeux d'Anne-Sophie, mais ça n'était pas tout : dans le cabanon, au fond de la cour, il y avait une petite voiture – une boîte à savon – construite jadis par le père de Robert et dans laquelle on pouvait dévaler la côte de l'érablière, sur la terre du voisin. Robert conservait un vieux journal local de 1962 dans lequel on rapportait que les Desaulniers (lui et son frère Luc) avaient terminé en deuxième position lors de la grande course de boîtes à savon organisée à l'occasion de l'exposition agricole de Trois-Rivières. Sans la preuve irréfutable que constituait l'article, Anne-Sophie aurait sans doute refusé net d'accorder quelque crédit à ces deux extravagantes assertions : qu'on eût fait mention d'une personne de sa connaissance dans la presse et que la terre fut peuplée en 1962.

Parmi les autres prodiges qu'il était loisible d'observer dans la propriété des Desaulniers, il y avait un chien grand comme un cheval – un danois – appelé Tom et une petite fille de six ans présentant l'extraordinaire particularité que voici : Sylvie ne l'avait pas portée dans son ventre, comme il est d'usage, mais était plùtôt allée la chercher en Chine. Que Noémie – c'était son nom – fût d'origine chinoise ne troublait pas Anne-Sophie outre mesure. Elle aussi, après tout, venait d'une contrée lointaine (la Chine ne pouvait quand même pas être plus loin que l'Abitibi). De plus, grâce aux solides notions de géographie acquises dans *Mickey et ses amis font le tour du monde,* elle pouvait se targuer de connaître l'Empire du Milieu comme le fond de sa poche (les Chinois mangeaient avec des baguettes, allaient à bicyclette, ne fêtaient pas Noël et avaient inventé les spaghettis et les feux d'artifice). Non, ce qui la tracassait surtout dans le cas de Noémie, c'était cette histoire d'adoption. Où était sa vraie maman ? Est-ce qu'elle avait pleuré quand Sylvie était venue lui prendre sa petite fille ? Le savait-elle seulement ? (Peut-être la cherchait-elle encore ?) Et est-ce qu'il arrivait que des parents chinois viennent chercher des petits enfants ici et les ramènent en Chine ? « Oui, quand qui z'écoutent pas ! » fut la réponse de papa, ce qui provoqua l'hilarité de son ami Robert et l'indignation des deux femmes. Sylvie à Robert : « Insignifiant ! » ; France à Anne-Sophie (mais en regardant Louis) : « Papa fait des farces plates, mon amour, je pense qu'il commence à être fatigué. » Elle dut patienter jusqu'à ce qu'on fût de retour à la maison et que maman vînt la border pour obtenir des réponses satisfaisantes à ses questions, et ainsi se voir tout à fait rassurée quant aux probabilités que des Chinois l'adoptent et qu'elle finisse ses jours dans un pays où on ne recevait pas de cadeaux à Noël. La vérité était que Sylvie et Robert avaient essayé pendant longtemps d'avoir une petite fille à eux, mais sans y parvenir ; c'est pourquoi ils étaient allés chercher Noémie dans un orphelinat en Chine. Et voilà, on y était : que fallait-il entendre, au juste, par « essayer d'avoir une petite fille » ? À la seconde où elle avait laissé échapper ces mots, France avait compris qu'elle se peinturait dans un coin mais, en bonne adepte de la doctrine selon laquelle il est préférable de dire les « vraies affaires » aux enfants, elle fit face et entreprit d'expliquer à sa fille – Samuelle, qui s'était endormie, rata cette captivante conférence et dut se contenter du compendium que lui en fit sa cousine le lendemain – de quelle manière les grandes personnes s'y prenaient lorsque leur venait la fantaisie de perpétuer l'espèce. Oh ! Vraiment ? Eh bien, voilà qui était intéressant. Était-ce à dire que l'amie de grand-maman Rose, Pauline, qui prétendait avoir eu douze enfants, s'était livrée douze fois à cette curieuse opération ? Et pour obtenir les jumeaux, est-ce qu'on avait dû s'y prendre à deux fois ? Bon, heureusement. En tout cas, une chose était sûre : si jamais Anne-Sophie voulait un bébé, elle irait plutôt le chercher en Chine, comme Sylvie.

Les Rivard, Normand et Chantal, étaient d'autres amis chez qui l'on se rendait quelquefois en famille. Ils étaient toujours pleins de prévenances pour Anne-Sophie et ne devaient leur deuxième place dans son affection qu'au simple fait qu'il n'y avait point de barrage à traverser pour atteindre leur domicile. (Ils habitaient tout bêtement à Sainte-Flore, juste avant le lac Chrétien.) Ils compensaient toutefois cette tare par d'autres attraits. Premièrement, ils élevaient des abeilles, ce qui déjà n'est pas banal. Il était bien sûr interdit aux enfants de s'approcher des ruches mais, depuis la véranda, on pouvait à l'aide de jumelles observer Normand recueillant le miel. Vêtu de sa combinaison blanche, il s'approchait lentement des ruches en projetant de la fumée à l'aide d'un genre d'encensoir, ce qui produisait un effet lénifiant sur les abeilles et les rendait moins agressives. Question d'Anne-Sophie : mais pourquoi se donner la peine de les rendre moins agressives quand on a de toute façon une combinaison protectrice ? Réponse de Normand : quand une abeille pique, elle meurt tout de suite après, c'est donc pour leur bien qu'on les tranquillise. Il ouvrait une portière sur le côté de la ruche, puis il chipait les rayons de miel, laissant en guise de dédommagement quelques litres d'eau sucrée. Question d'Anne-Sophie (paraphrasée par l'Anne-Sophie de vingt-quatre ans) : est-ce qu'elles n'étaient pas tannées, à force de se faire voler leur miel jour après jour et de se le faire remplacer par de la vulgaire eau sucrée, est-ce qu'elles n'étaient pas tannées, à la longue, de se faire fourrer ? À ce sujet, Normand admettait qu'à leur place il y aurait belle lurette qu'il serait allé se partir à son compte ailleurs, mais il faut croire que les abeilles sont des créatures très bonasses, ou bien qu'elles ont la mémoire très courte. La récolte terminée, Normand rentrait et déposait les rayons sur la table pour que Chantal les découpe et en serve une part à chacun. En croquant dans les alvéoles, on sentait le miel gicler dans la bouche puis, quand on en avait aspiré jusqu'à la moindre goutte, on se retrouvait avec une petite boule de cire, qu'on mâchait quelque temps avant de la recracher.

Dans la maison des Rivard il y avait également un oranger – un vrai ! – dont les oranges n'étaient cependant pas comestibles, ainsi qu'un piano mécanique dans lequel on insérait des feuilles perforées. Anne-Sophie, qui à cet âge lisait déjà couramment (soit plus d'un an avant qu'on ne le lui apprenne officiellement par le biais des savoureuses péripéties de Luc allant à l'école avec son chien Fido), et qui ratait rarement une occasion de faire étalage de sa science, éprouvait un grand contentement à farfouiller dans la pile de partitions, sur le dessus du piano, et à énoncer les titres des œuvres, pour l'édification de Samuelle. Comme la plupart étaient en anglais – *O When the Saints, Star-Spangled Banner, Brooklyn Bridge Is Falling Down* –, le fait de pouvoir les déchiffrer lui apprenait somme toute peu de choses sur le contenu des œuvres, mais elle savait prendre un air avisé, donnant à croire qu'elle était parfaitement au courant de ce qu'il fallait entendre par *Theme from Gone with the Wind*.

L'hôte le plus assidu de la famille Bonenfant demeurait mononcle Alexandre. Il débarquait à toute heure, sans s'annoncer et sans frapper, se servait dans le frigidaire, prenait part aux jeux des enfants, les accompagnait quelquefois au parc ou aux parties de baseball d'Émile – il se comportait alors de façon honteuse, entonnant des chants d'encouragement ridicules et célébrant chaque victoire des Rochers par son célèbre « On a gagné / Les doigts dans l'nez / Ils ont perdu / Les doigt dans l'… » (le dernier mot non prononcé mais finement suggéré). Il jouissait de droits fort étendus et sa « p'tite sœur » – car, bien que France fût de neuf ans son aînée, il ne l'appelait jamais autrement – lui passait certaines choses qu'elle n'eût pas tolérées chez d'autres. Par exemple, un jour où Samuelle se trouvait fort marrie en raison de la disparition d'un morceau de casse-tête, mononcle Alex voulut savoir si, parmi les moyens mis en œuvre pour retrouver l'objet, on avait essayé celui consistant à proférer des gros mots. Anne-Sophie, qui se trouvait là, exprima son scepticisme quant à l'efficacité de cette méthode. L'information provenait d'une grande personne, ce qui en temps normal constituait une caution suffisante, mais elle commençait à subodorer que son oncle ne comptait pas tout à fait pour une grande personne. « Tu contes des menteries ! Ça se peut pas, retrouver un morceau de casse-tête en sacrant ! – Ouais, t'as peut-être raison, Cannelle (il l'appelait quelquefois ainsi, sans qu'elle sache pourquoi), t'as peut-être raison, mais la question c'est : est-ce que ça peut nuire ? Moi j'ai pour mon dire que ça coûte rien d'essayer ; au pire du pire on aura sacré pour rien. » Il est rare que l'on possède, à cinq ans et demi, les outils rhétoriques pour parer un argument de cette puissance, aussi la solution proposée fut-elle mise en application : « Criss de tabarnak d'hostie de calice de ciboire d'étole de viarge, oussé kié le sacramant de calice de morceau de casse-tête du tabarnak ! À votre tour, les filles…» Horrifiées et grisées à la fois, les deux fillettes répétaient les terribles incantations, d'un ton hésitant au début puis, voyant que rien de fâcheux ne se produisait, allant crescendo jusqu'au «tabarnak» final, qui fut pratiquement hurlé, ou en tout cas proféré assez fort pour que France, qui se trouvait à l'étage, en fût alertée. Quand elle fit irruption dans le salon, Anne-Sophie et son oncle étaient pris d'une irréfrénable crise de fou rire, tandis que Samuelle, au bord des larmes, arborait un visage semblant dire : «Ciel ! Qu'avons-nous fait!» comme les personnages dans les films d'épouvante, après qu'ils ont ouvert le *Nécronomicon* ou cédé leur âme au Malin. Sans même qu'on lui pose la question, elle désigna Alexandre comme étant l'instigateur du crime, au cas où la chose aurait été douteuse dans l'esprit de France. Anne-Sophie cessa de rire aussitôt et jeta un regard de commisération au pauvre mononcle Alex. Quel serait son châtiment pour une faute aussi grave ? L'imagination n'allait pas jusque-là. Cependant, à sa grande surprise, France éclata de rire à son tour et se contenta de demander à son frère si c'était vraiment trop exiger de lui que de ne pas montrer aux enfants à sacrer dès qu'on le laissait cinq minutes seul avec eux. Réponse d'Alex : «Cinq minutes? Hum… OK, mais pas une de plus.» Fin de l'affaire. Louis ne s'en serait sans doute pas tiré à si bon compte, loin de là, s'il avait seulement laissé échapper un seul de ces jurons devant sa progéniture. L'inconcevable clémence de sa mère ne fut pourtant pas ce qui frappa le plus Anne-Sophie dans cette histoire de blasphème. Non, la chose la plus étonnante fut que, cinq minutes à peine après cette scène, la pièce manquante du casse-tête fut retrouvée, et encore, à un endroit où l'on était certain d'avoir bien regardé. Il pouvait très bien s'agir d'une coïncidence, direz-vous. Soit, je vous l'accorde : il pouvait s'agir d'une coïncidence.

Je disais, juste un peu plus haut, qu'Anne-Sophie n'était pas entièrement convaincue qu'il fallût ranger cet oncle dans la catégorie des « grandes personnes ». Plusieurs facteurs militaient en faveur de cette impression. Comme il était le plus jeune de la famille, ses frères et sœurs tendaient à adopter à son endroit une attitude protectrice, voire légèrement condescendante. Ainsi qu'on l'a vu, dès qu'une crise ou un drame survenait, il était celui à qui on confiait la tâche d'amuser les enfants. Pourtant, bien que la différence d'âge entre Diane, l'aînée, et lui fût de onze ans, à peine cinq ans le séparait de Caro. Sauf que cette dernière travaillait, possédait une voiture et était mère de famille. Bon, Alex aussi possédait une voiture, ou plutôt un camion, un monstre brun qu'il désignait comme son « panel » et dans lequel il allait vendre des sapins à New York chaque hiver. Et s'il ne travaillait pas à proprement parler, il gagnait du moins sa vie : outre la vente de sapins, il faisait également, au printemps, un peu de débroussaillage et de reboisement et, l'automne, il descendait dans les Cantons de l'Est cueillir des pommes. Il vivait comme ça de petits boulots saisonniers, travaillant deux mois, le temps de « faire la palette », puis passant les trois suivants à dépenser ladite palette. Son cheminement scolaire s'était arrêté au cégep, où il passa cinq années au bout desquelles il aurait été bien en peine de répondre à la simple question : « En quoi t'as étudié, au juste ? » Dans cette famille d'universitaires, cela lui conférait naturellement le statut de mouton noir. Anne-Sophie, pour sa part (et cela est vrai encore aujourd'hui), en raffolait. Il était impossible de planifier la moindre sortie en famille sans qu'elle insiste pour que son oncle préféré en soit. Elle appréciait surtout en lui, outre le fait qu'il était du genre à mettre le feu à ses flatulences pour dérider les enfants, qu'il prît toujours le temps de répondre à ses questions de la manière la plus honnête possible. Maman aussi, c'est vrai, prenait toujours le temps de converser avec elle, mais il lui arrivait quelquefois, non pas de mentir, mais de gazer légèrement les faits à des fins éducatives, ce qu'Alex ne faisait jamais.

Vers la deuxième semaine d'août, cet été-là, il vint pratiquement s'installer à demeure chez les Bonenfant, histoire de donner un coup de main à sa sœur. Simon venait d'entrer dans la phase ultime de sa maladie – on lui donnait un mois à tout casser – et dès lors France passa le plus clair de son temps au domicile de ses parents, à réconforter sa mère, ou au téléphone à faire circuler entre les membres de la famille les dernières déprimantes nouvelles. Bien sûr, on savait déjà que Simon était condamné, mais avant que la chose ne fût imminente tout le monde avait plus ou moins continué de vivre comme à l'ordinaire, de manière à ce que les enfants ne fussent pas trop affectés par la situation. Maintenant il devenait plus difficile de faire semblant. Même Samuelle qui, on l'a vu, ne croyait pas que l'on pût mourir à dix ans, avait un peu perdu de son entrain à force d'entendre sa mère pleurer au téléphone. Anne-Sophie, de son côté, s'affligeait de voir France toujours partie. Elle aurait voulu l'accompagner au chalet pour l'aider à consoler grand-maman Rose, mais apparemment on n'estimait point que sa présence constituât un baume pour le cœur. Bref, mononcle Alex devait mettre à contribution tous ses talents d'histrion pour parvenir à égayer un tant soit peu ses neveu et nièces. Seules Marie-Ève et Valérie, trop petites pour se projeter dans l'avenir ou pour se souvenir des drames passés, conservaient une parfaite égalité d'humeur. Marie-Ève, pour sa part, s'efforçait alors de pénétrer les arcanes de la station debout et du langage verbal, prenant peu à peu conscience des grands avantages que procurait la maîtrise de ces deux compétences. Son vocabulaire comptait maintenant suffisamment de mots pour qu'elle fût en mesure de formuler des semblants de phrases. Elle pouvait, par exemple, informer sa mère que sa couche était souillée (« Pipi maman ! ») ou faire savoir à son grand frère qu'elle ne cracherait pas sur un verre de jus (« Mil, veux jus ! »). Qu'on puisse ainsi obtenir tout ce qu'on désire rien qu'en faisant des bruits avec sa bouche, cela suffisait à lui faire voir l'existence sous des couleurs riantes.

Mais pour les plus grands, et ce malgré les louables efforts d'Alexandre, la vie ne fut plus tout à fait pareille après l'annonce du décès imminent de leur cousin. Pour être honnête, disons que ce ne fut pas tant cette annonce que les circonstances l'accompagnant qui entamèrent leur bonne humeur. L'été tirait à sa fin, on pouvait le sentir. Il faisait noir plus tôt et, le soir, on devait mettre une petite laine pour sortir. Surtout, les publicités de la rentrée avaient fait leur apparition, signe incontestable que les vacances s'achevaient. À partir du jour où Jean Coutu tient à vous faire savoir que ses paquets de deux cent feuilles lignées sont à quatre-vingt-dix-neuf cents (limite de trois par client), le temps se met à s'accélérer, les heures vous glissent entre les doigts et la première chose que vous savez c'est que vous êtes assis à un pupitre sur lequel trône votre manuel *Mathématique Soleil* fraîchement couvert, votre boîte de soixante crayons de couleur Prismacolor (le bleu ciel qui dans deux mois ne sera qu'un moignon est pour l'instant de la même longueur que les autres), vos cartables remplis de feuilles vierges et vos cahiers Canada portant encore leur bandeau. Oui, vraiment, une simple fraction de seconde sépare le premier commercial de la rentrée et cette scène de cauchemar, quoi qu'en dise le calendrier. Mais bon, Anne-So n'en était pas tout à fait là, puisqu'en maternelle il n'y a pas de pupitres, mais des tables, et qu'on n'y fait point de mathématiques. De toute façon, cette année-là il y eut la mort de

Simon pour servir de dos d'âne, pour ralentir le temps dans sa course folle vers le premier jour d'école. Le 30 août 1990, vêtue de ses plus beaux habits (sa robe brune avec des petites fleurs blanches, ses collants blancs et ses souliers noirs), elle était chez Pellerin et Fils, devant le petit cercueil contenant la dépouille de son cousin. Elle eut un peu de mal à le reconnaître. En fait, pour parler franchement elle ne le replaçait pas du tout. Il y avait plus d'un an qu'elle l'avait vu et, dans le vague souvenir qu'elle en gardait, il s'agissait d'un petit échevelé à lunettes ne tenant pas en place et arborant un t-shirt sale à l'effigie des ninja turtles. Non seulement l'enfant dans le cercueil était-il immobile – ce qui, dans les circonstances, ne devait pas surprendre –, mais on lui avait retiré ses lunettes, lissé ses cheveux vers l'arrière et on l'avait revêtu d'un petit complet beige. Il fallait bien admettre pourtant qu'il n'y avait point supercherie, que le petit garçon couché là était bien son cousin, car comment expliquer sinon les sanglots de matante Diane, de grand-maman, de Samuelle et de toutes ces autres personnes qu'elle ne connaissait pas ? Elle aussi avait envie de pleurer, mais surtout parce que les larmes, comme le rire ou les bâillements, sont contagieuses. Mais plus on s'éloignait du cercueil, moins les gens semblaient tristes et plus on pouvait se permettre de penser à autre chose qu'à la mort. Dans le petit salon où il y avait une cafetière et un plateau de biscuits, on aurait pu se croire dans un quelconque événement mondain, on y parlait de sujets divers et l'on se permettait même une plaisanterie de temps en temps. En compagnie de Frédérique et d'une autre petite fille (une cousine de Samuelle, du côté des Doyon), elle explorait les différentes pièces de l'établissement, recevant au passage moult éloges de la part des personnes présentes. « Dis-moi pas que t'es la fille à France ? Mais si t'as grandi ! Heille Fernand, viens voir la fille à France. Pense pas qu'est pas belle ! »

Tant qu'elle se tenait en périphérie, frayant avec les gens venus faire acte de présence par sens du devoir, elle trouvait l'endroit tout à fait de son goût, elle y serait même volontiers retournée chaque fin de semaine, si ce n'était qu'il fallait – fâcheux préalable – qu'un de vos proches trépassât pour y être admis. (Cela n'est certainement pas à son honneur, mais ma conscience de biographe m'oblige à rapporter qu'en se couchant, ce soir-là, Anne-Sophie passa en revue sa parenté et établit une liste de ceux dont elle estimait pouvoir se passer.) Vers la fin de l'après-midi, mononcle Alex l'invita à manger avec lui au Palace, de l'autre côté de la rue, et elle en profita pour lui confier ses angoisses. C'est donc là, devant un demi-club et des frites, qu'elle apprit cette désagréable vérité : tout le monde allait mourir, y compris elle et ses parents. Et cette histoire de ciel dont avait parlé Stéphanie ? La réponse d'Alex à cette question, à défaut d'être très réconfortante, lui permit d'ajouter un nouveau mot amusant à son vocabulaire : « Bullshit ! » Il faut dire que les Labelle ne formaient pas une famille très croyante. D'ailleurs, si le défunt eut droit à un service religieux ce fut uniquement parce que ses parents, accablés de chagrin, s'en étaient remis au sieur Pellerin pour l'organisation des funérailles et que cela faisait partie, en quelque sorte, du forfait de base. C'était la deuxième fois de sa vie qu'Anne-Sophie mettait le pied dans une église. Elle avait jadis assisté à une fête communautaire, suivie d'une soirée cinéma, dans l'église de Kipaowé, mais cette dernière, qui lui avait paru grandiose alors, n'était, il fallait bien le dire, qu'un vulgaire cabanon comparée à l'église Saint-Paul. Les peintures au plafond, représentant divers épisodes de la vie du Christ, l'impressionnèrent particulièrement. Comment s'y était-on pris pour les peindre ? Existait-il vraiment des escabeaux de cette taille ? Comme elle n'avait pratiquement reçu aucune instruction religieuse, elle devait faire travailler son imagination pour deviner de quoi il était question sur les images, ce qui ajoutait grandement à leur charme. Qui était cette dame en robe bleue qui semblait discuter avec un pigeon ? Pourquoi ce monsieur (lui aussi en robe) avec de la lumière autour de la tête tenait-il un poisson dans sa main et le montrait-il à la foule ? Tiens, apparemment il avait appris à voler car, dans la dernière image, il était entièrement illuminé et lévitait à quelques pieds du sol, au grand ébahissement de quelques barbus. De la messe, elle ne retint à peu près rien, sinon que le curé, sans doute par distraction, appelait Simon « mon frère » et qu'il but du vin dans une jolie coupe. On se rendit ensuite au cimetière municipal. Sam et Val firent le trajet dans l'une des grandes voitures noires de Pellerin et Fils, tandis qu'Anne-Sophie dut se contenter de voyager dans la fourgonnette familiale. Seuls la famille et quelques intimes s'étaient rendus au cimetière ; tout le monde pleurait et elle pleura aussi. Les messieurs de Pellerin et Fils attachèrent le cercueil avec deux courroies et le descendirent, lentement, au fond du trou à l'aide d'un treuil. « C'est drôle – non c'est pas drôle, mais en tout cas –, c'est juste à ce moment-là que je me suis faite à l'idée qu'on le réchapperait pas. Sam pis moi on était tellement convaincues que son frère mourrait pas, on était tellement certaines que nos parents dramatisaient pour rien, que j'aurais été juste à moitié surprise de le voir se lever en plein salon – je savais pas encore qu'on embaumait les morts. »

Ce qui chagrinait surtout Anne-Sophie dans le décès de ce cousin qu'elle avait à peine connu, c'était que cela signifiait le retour à la normale, c'est-à-dire que ses cousines rentreraient chez elles et que la famille Bonenfant retrouverait son ancienne configuration. Cependant, le changement ne fut pas si grand. Après la mort de son aîné, Diane sombra dans une dépression qui dura des années. Bien qu'elle aimât ses filles et qu'elle s'efforçât toujours de faire bonne figure devant elles, la plupart du temps elle n'avait simplement pas la force de mettre un pied devant l'autre. Elle avait ses bons moments, mais il lui arrivait aussi de passer des journées entières au lit, n'en sortant que pour prendre ses médicaments ou pour s'alimenter. Pierre, de son côté, s'évada dans le travail, acceptant toutes les heures supplémentaires qu'on lui offrait, se chargeant de toutes les responsabilités possibles. Comme il n'était à peu près jamais présent à l'heure des repas, ni même à l'heure du bain et du coucher, et que Diane peinait à s'occuper de sa propre personne, les petites filles passèrent le plus clair de leur temps chez les Bonenfant. Jusqu'aux alentours de la 3e secondaire – celle d'Anne-Sophie –, elles y prirent la majorité de leurs repas et y dormirent deux nuits sur trois. Elles participaient à toutes les activités familiales, figuraient sur toutes les photos, et leurs professeurs étaient informés, au début de chaque année scolaire, qu'ils rencontreraient leur tante France lors des visites de parents. Cela se fit tout naturellement, sans que personne ne demande rien à personne. La mort de Simon eut raison du couple de Pierre et Diane, mais ils ne songèrent pas au divorce. À quoi bon, de toute manière ? Ils s'efforçaient, durant les moments qu'ils passaient avec leurs filles, de paraître enjoués, mais cela leur demandait un effort considérable. Ils compensaient leur absence en faisant des cadeaux somptueux à Val et à Sam, et comme cette dernière avait coutume de tout partager avec sa cousine, Anne-Sophie vécut elle aussi dans l'opulence, par ricochet. Il lui arrivait même de passer des commandes personnelles par l'entremise de Sam, quand elle désirait très fort quelque chose, un vêtement ou un joujou.

Cependant, dans les jours suivant l'enterrement, les deux fillettes retournèrent chez elles pour un temps, si bien qu'Anne-So se retrouva seule pour affronter cette terrible épreuve : l'entrée à la maternelle. Pas la maternelle à la maison avec maman, non, la vraie cette fois, dans une grande école et avec une pure étrangère dont on ne savait pour l'instant que le nom : Chantal Lamarche. Il s'agissait sûrement d'une dame très gentille, l'assurait France – qu'est-ce qu'elle en savait ? –, et Anne-Sophie aurait beaucoup de plaisir à l'école, se ferait des amis, etc. Ouais, bon, c'est ce qu'une mère est censée dire dans ces circonstances. Qu'est-ce qu'elle peut dire d'autre ? Et si cette Chantal n'était pas gentille, si au contraire elle s'avérait odieuse et qu'elle la prenne en grippe ? Et si elle se perdait, si elle ne trouvait pas sa classe ? Et si en hiver elle mettait trop de temps pour s'habiller et que le chauffeur d'autobus parte sans elle ? Et si tous les autres enfants se liguaient contre elle ? Dans ce cas elle n'aurait même pas son grand frère pour la défendre, puisqu'il entamait sa quatrième et qu'en conséquence il était inscrit à Laflèche. Mais finalement toutes ces craintes se révélèrent hors de saison. Dès sa première journée d'école, elle s'orientait sans problème dans Saint-Jean-Bosco (qui au fond n'était pas tellement plus vaste que leur ancienne maison) et elle constata avec soulagement que sa maîtresse n'avait rien d'une harpie. Si l'on consentait à faire abstraction de sa voix pas très agréable et de sa légère tendance à prendre ses élèves pour des demeurés, ce n'était pas le mauvais cheval. Bien que la somme de ses connaissances fût tout juste assez grande pour qu'elle pût en remontrer à des enfants de cinq ans, elle n'était jamais prise au dépourvu par une question, comblant sans état d'âme les lacunes de son érudition en inventant. Par exemple, un jour où l'on regardait des images de dinosaures, Antoine Gélinas avait demandé à Chantal comment les hommes des cavernes faisaient pour savoir quels dinosaures étaient bons à manger et lesquels étaient poisons. Chantal s'était aussitôt lancée dans une conférence impromptue sur les moyens de reconnaître les dinosaures comestibles, discourant avec un aplomb qui aurait pu laisser croire qu'elle ne faisait rien d'autre de ses week-ends que pister le brontosaure. La phrase : « Je le sais pas, ma chouette » ne faisait simplement pas partie de son vocabulaire, chose qui impressionna grandement Anne-Sophie. Même maman, qui avait passé plus de la moitié de sa vie sur les bancs d'école et qui avait toujours le nez dans un livre ; même grand-maman Rose qui, à son âge, devait normalement avoir accumulé des montagnes de connaissances ; même elles devaient parfois s'avouer vaincues et se réfugier derrière un frustrant : « Je le sais pas, ma chouette. »

En plus d'Anne-Sophie et de ses compagnons (les « amis du matin »), Chantal avait la charge d'un autre groupe d'élèves, qui eux ne venaient que l'après-midi. On ne les voyait jamais, mais certains indices témoignaient de leur existence : de nouveaux dessins apparaissaient sur les murs, des jouets changeaient de place pendant la nuit, on retrouvait des pots de Play-Doo mal fermés, etc. Anne-Sophie ne tarda pas à éprouver une haine farouche à l'égard de ces mystérieux « amis de l'après-midi » qui leur disputaient l'affection de Chantal, laquelle ne se privait d'ailleurs pas de jeter de l'huile sur le feu, déclarant à la moindre incartade que ce n'était certainement pas ses amis de l'après-midi qui se comporteraient ainsi. Bien sûr, ces derniers se faisaient servir la même médecine, mais à cet âge on prend tout pour argent comptant, et le soir, avant de s'endormir, on prie pour que l'autobus des amis de l'après-midi se retrouve dans le fond du Saint-Maurice.

La classe de maternelle de mademoiselle Chantal Lamarche (section amis du matin) fut le théâtre d'un événement crucial dans la vie d'Anne-Sophie : sa rencontre avec Laurence. Toutefois, si l'on se donne la peine d'enquêter en profondeur, on constate que la version officielle de l'histoire est quelque peu apocryphe. En effet, bien qu'elles eussent effectivement été condisciples à cette époque, la vérité est qu'elles ne s'adressèrent point la parole de toute l'année. Il y a fort parier que Chantal n'avait point parcouru les ouvrages de monsieur Machiavel mais, preuve que chez certaines personnes l'instinct remplace avantageusement l'érudition, elle appliquait sans le savoir certaines des maximes de ce sage homme, dont la fameuse « diviser pour régner ». En plus de monter, comme nous l'avons vu, ses amis du matin contre ses amis de l'après-midi, elle instaurait, à l'intérieur de chacun des groupes, un climat de compétition malsaine dont elle recueillait les fruits sans avoir à se pencher. Au premier jour de classe, elle avait placé dans un sac vingt-quatre carrés de papier construction (six bleus, six verts, six rouges, six jaunes) et avait demandé à tous les amis de venir en piger un à tour de rôle. Quand chacun fut muni de son bout de papier, l'on se regroupa par couleur, et chaque équipe ainsi formée prit place à l'une des quatre grandes tables que comptait la classe. Chantal leur expliqua alors que chaque fois qu'un ami répondrait correctement à une question, exécuterait une consigne, se chargerait d'une corvée, bref chaque fois qu'un ami lui donnerait satisfaction d'une manière ou d'une autre, il se verrait attribuer un bon point – ou deux, ou trois, dépendant de l'importance de l'exploit accompli. À l'inverse, un ami désobéissant ou négligent risquait de se faire soustraire un point. À la fin de la semaine on ferait le compte des points et l'équipe en ayant accumulé le plus grand nombre recevrait une récompense (efface de fantaisie, gommette odoriférante, stylo huit couleurs et autres cochonneries en provenance du Tigre Géant ou de People's). Puis, l'année terminée, l'équipe qui aurait été championne le plus souvent recevrait une grosse récompense, dont la nature resterait mystérieuse jusque-là (une visite au zoo de Saint-Édouard, finalement). Sans doute qu'à l'université où Chantal fit ses études – car il avait bien fallu qu'elle y allât, aussi invraisemblable que cela paraisse – lui avait-on enseigné que cette méthode était excellente pour la discipline (l'élève montrant des velléités d'insubordination se faisait aussitôt remettre à l'ordre par les membres de son équipe), en plus de favoriser un climat de saine émulation. Seulement, la « saine émulation » n'est point un concept viable dans une classe de maternelle. On est entier à cet âge, on prend les choses au sérieux. On n'a pas d'adversaires, seulement des ennemis. Le hasard voulut qu'Anne-Sophie fasse partie des rouges, et Laurence des verts ; elles furent donc, avant de devenir les meilleures amies du monde, ennemies mortelles pendant une année. Leur inimitié prit même, au cours des mois, un tour de plus en plus personnel, car elles devinrent peu à peu les leaders officieux de leurs clans respectifs. Elles possédaient toutes deux un bagage de connaissances de beaucoup supérieur à la moyenne, ce qui leur permettait de briller lors des « mini-quiz » thématiques que Chantal organisait de temps en temps. Elles étaient les seules à connaître les noms des planètes du système solaire, à pouvoir nommer correctement certains fruits et légumes rares (papaye, artichaut et topinambour) et à savoir que le petit du renard s'appelle le renardeau et non le « bébé renard », comme le soutenait Marilou Caron-Asselin, cette gourde. Avec déjà une maternelle au compteur, Anne-So jouissait d'un léger avantage, lequel se trouvait cependant annulé par la présence au sein de son équipe de Jonathan Coulombe. Elle et son fidèle lieutenant Camille Duplessis avaient beau amasser les points à toute vapeur, Jonathan trouvait le moyen de saboter leurs efforts en ratant systématiquement ses objectifs d'apprentissage. Bien sûr, il en était fort désolé et pleurait comme une Madeleine à chaque fois, mais cela ne changeait rien au résultat. À la fin de l'année il était toujours incapable d'écrire son nom, et ses coéquipiers maudissaient ses parents de ne pas l'avoir appelé Luc. Ils maudissaient également la nature de ne pas l'avoir fait naître avec davantage de doigts : s'il en avait eu un seul de plus, il aurait au moins pu compter jusqu'à onze. Bref, Jonathan s'avéra un boulet trop lourd et ce furent les verts de Laurence qui l'emportèrent et qui eurent le privilège d'aller observer les marmottes au zoo de Saint-Édouard. Notons pour mémoire que le sieur Coulombe ne se laissa pas abattre par ces débuts difficiles dans la vie et qu'il occupe, aux dernières nouvelles, le poste de second assistant à l'adjoint du sous-gérant au Stratos.

La véritable rencontre entre Laurence et Anne-Sophie eut lieu l'année suivante, dans la classe de Muriel où, de rivales, elles devinrent compagnes d'infortune, alors qu'elles trouvèrent toutes deux le moyen de se mettre leur enseignante à dos dès les premières semaines. Anne-Sophie en fut d'autant plus peinée que de prime abord elle avait trouvé sa nouvelle maîtresse tout à fait de son goût. C'était une dame d'un certain âge, petite et boulotte, portant des robes à fleurs et parlant un peu comme la médium dans *Poltergeist,* d'une voix fluette, quasi enfantine. Sa méthode d'enseignement, surtout, enchantait notre amie : Muriel consacrait environ un cinquième du temps à parler de la matière à l'étude et les quatre autres cinquièmes à narrer diverses circonstances de sa vie personnelle. Par exemple, elle demandait à ses élèves de sortir leurs manuels de mathématiques et déclarait solennellement que l'on allait ce matin apprendre la plus simple et la plus courante des quatre opérations : l'addition. Ayant annoncé ce programme, elle enchaînait sans transition sur le cas de sa sœur Louise qui avait fumé deux paquets de cigarettes par jour pendant trente ans, jusqu'à ce que son médecin lui dise qu'elle n'en avait plus que pour cinq ans à vivre, maximum, si elle continuait à ce rythme. Elle avait essayé toutes les méthodes connues (la gomme, les patches, l'acupuncture et même l'hypnose), mais sans succès. Jusqu'au jour où la famille lui délégua sa petite-fille Josiane (qui était « juste un petit peu plus vieille que vous autres ») avec le message suivant : « Grand-maman, j'aimerais beaucoup que tu sois là quand je vais recevoir mon diplôme. » Louise avait alors fondu en larmes et, croyez-le ou non, n'avait plus touché une cigarette. Muriel gardait ensuite un silence ému, pendant lequel elle hochait la tête doucement, les yeux dans le vague. Émergeant de sa torpeur, elle regardait tour à tour ses élèves et le tableau, semblant un peu surprise de se trouver là, puis elle s'emparait d'une craie et traçait deux chiffres au tableau, l'un par-dessus l'autre, qu'elle séparait par une petite croix. « Qui peut me dire ce que signifie ce signe ? Oui, toi en avant, c'est quoi ton nom ? Maxime, peux-tu me dire ce que représente la petite croix entre le 2 et le 3 ? Non, c'est pas le p'tit Jésus. Heu… oui, toi ma belle, comment tu t'appelles ? Laurence, as-tu une réponse ? Oui ! C'est ça : la petite croix veut dire : plus. » S'ensuivait un long monologue sur les avantages de savoir effectuer une addition dans la vie de tous les jours. Ainsi, lorsqu'on va faire une commission pour notre maman au dépanneur, on peut vérifier si le commis nous a rendu la monnaie exacte. D'ailleurs cela lui rappelait une mésaventure survenue lors d'un voyage qu'ils avaient fait, son mari et elle, au Mexique. Le récit de cette mésaventure durait jusqu'à la récréation, au retour de laquelle Muriel informait ses élèves que l'on allait maintenant faire un peu de français. Bref, en rentrant à la maison ce soir-là, personne ne pouvait se targuer d'en savoir plus long qu'à son réveil sur les additions.

Anne-Sophie, qui de toute façon savait parfaitement additionner, soustraire, multiplier et diviser, n'en avait cure et se délectait des histoires de Muriel, qu'elle rapportait scrupuleusement, le soir à table, pour le bénéfice de qui voulait l'entendre. Trois jours après la rentrée, tout le monde chez les Bonenfant était au courant des affres qu'avait endurées Fernand – l'époux de Muriel – à l'occasion de son opération pour une hernie discale en 1987. D'où vient alors qu'après ces débuts idylliques Anne-Sophie en était arrivée à encourir les foudres de sa nouvelle enseignante ? Cela simplement à cause d'une requête tout ce qu'il y a de raisonnable, formulée dans les termes les plus polis, mais interprétée par Muriel comme une grave impertinence, voire une tentative de rébellion. À certain moment, au cours de la deuxième semaine de classe, elle suspendit quelques instants le récit autobiographique en cours pour faire l'annonce suivante à ses élèves : à partir du lundi suivant, on entamerait la partie la plus importante du programme de première année, c'est-à-dire que l'on apprendrait à lire et à écrire. D'ici les vacances des fêtes, on s'y emploierait de manière intensive, négligeant les autres matières au besoin. Au moment où elle prenait son souffle pour se lancer dans un discours-fleuve sur les vertus de la lecture – elle-même, grande lectrice devant l'Éternel, venait de terminer *Les oiseaux se cachent pour mourir* et en était encore toute remuée –, elle remarqua la main d'Anne-Sophie levée bien haut. « Oui, Anne-Sophie ?

– Muriel, moi si je sais déjà lire, est-ce que je suis obligée de venir quand même d'ici aux vacances de Noël ? »

D'abord, Muriel ne s'offusqua pas ; elle trouva même cela charmant. Aussi, c'est avec une condescendance bienveillante qu'elle lui expliqua que oui, il se pouvait qu'elle fût en mesure de reconnaître quelques mots (son prénom, son nom de famille, etc.) ; elle aurait donc un petit avantage sur ses camarades, mais à partir de maintenant elle apprendrait à lire pour vrai, et bientôt elle serait en mesure de reconnaître *tous* les mots. « Je sais lire tous les mots, Muriel.

– Ah… comme ça, tu sais lire ?

– Oui. »

Il se trouvait qu'Anne-Sophie maîtrisait les rudiments de la lecture depuis déjà presque deux ans au moment d'entreprendre sa première année. À force de se faire lire ses contes préférés soir après soir, elle en était venue à en savoir le texte par cœur et, grâce à des raisonnements faciles, à reconnaître certains mots. Par exemple, elle avait remarqué que dans *Mickey et le haricot géant,* maman tournait la première page après la phrase : *Les trois amis étaient si pauvres qu'ils ne mangeaient que des haricots.* La page se terminant sur le mot « haricot », elle en avait assimilé la forme et était capable de le repérer lorsqu'il réapparaissait plus loin dans le texte. Et, comme dans le titre le mot suivant était « géant », elle avait également appris à reconnaître ce vocable, ce qui s'avéra profitable puisqu'il est souvent question de géants dans les contes. Au bout d'un certain temps, elle associait presque tous les mots de ses livres à leurs significations, mais pendant longtemps elle les considéra purement comme des pictogrammes, n'ayant point encore remarqué que les mêmes lettres reproduisaient les mêmes sons. Lorsqu'elle s'avisa, alors que France lui lisait *La nouvelle toge de l'empereur* pour la quatre cent soixante-septième fois, que « toge » et « tisserand » débutaient tous deux par la même lettre et nécessitaient tous deux que la langue vienne cogner derrière les palettes pour être prononcés, elle éprouva un sentiment d'exaltation difficile à décrire. Ainsi donc, il y aurait une manière de système derrière tout ça ? Mais bon, ça n'était peut-être qu'une coïncidence. Avant de s'endormir ce soir-là, elle passa en revue dans sa tête tous les mots qu'elle connaissait afin de valider sa théorie. Si cela s'avérait, les implications étaient incommensurables : cela signifiait que l'on pouvait, au besoin, arriver à déchiffrer un mot qui ne figurait pas dans les livres de

Walt Disney, un mot qu'on n'avait jamais vu ! Eh bien oui, cela se faisait ! Les mêmes lettres se trouvaient associées aux mêmes sons, presque toujours (**M**ickey et **M**innie ; **D**ingo et **D**onald ; **Pl**ut**o** et **D**ing**o** ; **châ**teau et **cha**t, etc.). Bien sûr, on rencontrait quelques exceptions embêtantes. Par exemple, c'était bien la même lettre au début de « gâteau » et de « géant », mais cela ne se prononçait pas du tout de la même façon. Elle hésitait à faire part de ses embarras à France. Jusqu'ici elle avait cheminé en autodidacte et elle tenait à affirmer ses connaissances avant de demander de l'aide. Mais une autre raison, plus impérieuse, la retenait : la faculté de lire lui semblait un pouvoir si grand que cela devait obligatoirement être interdit aux petits enfants, et si on s'apercevait qu'elle s'exerçait à la lecture, on la gronderait sans doute aussi sévèrement que la fois où avec Sarah elle avait volé les allumettes de mamie.

Puis un jour – c'était aux environs de Noël 1989 –, alors qu'elle était allée faire des courses au magasin général avec sa mère, elle vit cette dernière mettre des pièces dans une petite boîte près de la caisse enregistreuse, sur laquelle on pouvait lire : « Donnez généreusement pour le Noël des pauvres. » Sans réfléchir, elle avait demandé : « C'est quoi ça, maman, le Noël des pauvres ? » Oups ! « Mon amour, tu sais lire ! » s'était exclamée France, éberluée. « Qui t'a montré ça ? » Elle ne semblait pas du tout fâchée, au contraire, ce qui soulagea grandement Anne-Sophie. Celle-ci lui raconta donc, sur le chemin du retour, son parcours intellectuel des derniers mois, comment elle en était venue à reconnaître les mots et à déchiffrer un texte. Pour « Noël des pauvres », c'était facile puisque « Noël » se retrouvait dans le titre *Un cantique de Noël*, et « pauvre » apparaissait dans presque tous les contes, Mickey se retrouvant tour à tour dans la peau d'un pauvre tailleur, d'un pauvre meunier, d'un pauvre fermier, etc. Pour ce qui était des autres mots sur la boîte (« donnez généreusement »), le second l'avait découragée par son ampleur ; par contre elle avait bien lu le premier, mais elle ignorait ce qu'il fallait entendre par « donnèze ». France lui avait alors expliqué que dans ce cas « donnez » se prononçait « donné », que le « z » final n'était là que pour indiquer la deuxième personne du pluriel. La quoi du quoi ? Oui, bon, parler de grammaire et de conjugaison était sans doute un peu prématuré, mais ce qu'il fallait savoir, pour le moment, c'est qu'il arrivait que certaines lettres ne se prononcent pas, ou qu'elles se prononcent de différentes manières selon les circonstances. (Voilà qui expliquait cette histoire de « géant » et de « gâteau ».) Mais comment savoir de quelle façon prononcer une lettre dans tel cas précis ? Eh bien, maman allait le lui apprendre. Ce soir-là, au moment du coucher, au lieu de lire une histoire on passa en revue les vingt-six lettres de l'alphabet et on étudia la façon dont elles se combinaient pour produire différents sons. Le « h » constituait un cas plutôt complexe. La plupart du temps il ne se prononçait pas du tout – pourquoi le mettre, alors ? –, mais placé devant le « c » il donnait le chuintement nécessaire à « chat », « chiffre », « chou », etc. On le retrouvait quelquefois accouplé au « p » pour produire l'équivalent d'un « f », comme dans « dauphin ». Mais à quoi bon, puisqu'on disposait du « f » de toute façon ? Si on en croyait maman (et elle n'avait pas coutume de parler à tort et à travers), il existait des familles de langues et le français, comme toutes les autres langues, conservait des traces de ses ancêtres. Si on connaissait bien les langues dont était issu le français, on comprenait mieux pourquoi certains mots s'écrivaient comme ils s'écrivaient. Elle lui avait donné l'exemple du mot « polygone ». Une personne entendant ce mot pour la première fois pouvait quand même l'écrire correctement (avec un « y » et non un « i ») si elle connaissait ses racines. Tout cela donnait quelque peu le vertige à Anne-Sophie, sans qu'elle en laisse rien voir. De toute façon, comme elle ne tarda pas à le comprendre, il était possible de lire sans rien avoir à démêler d'avec ces histoires de racines.

Depuis qu'elle pouvait compter sur l'aide de France, elle progressait à toute allure. C'était elle, maintenant, qui lisait les histoires le soir, maman n'intervenant que lorsqu'elle butait sur un mot. Par contre, quand Sarah et Stéphanie étaient de la partie, on faisait semblant de rien. On préparait une surprise pour papa et il ne fallait pas que cela s'ébruite. Quand Anne-Sophie s'estima prête, Louis fut solennellement convoqué dans sa chambre à l'heure du coucher. L'œuvre au programme était *Martine à la plage* qui, comme son titre l'indique bien, relate l'expédition de Martine à la plage, en compagnie de deux de ses amies et de son petit chien. Il y a fort à parier qu'en temps normal Louis eût prêté un intérêt fort mitigé à ce récit, mais dans les circonstances il manifesta une admiration qui eût comblé d'aise l'auteure, si par hasard elle s'était trouvée là. À partir de ce jour, il partit rarement travailler sans lui laisser un petit mot sur sa table de nuit, qu'elle trouvait le matin en se levant, simplement pour dire « Je t'aime mon petit rat, passe une belle journée. Papa », mais quelquefois aussi pour lui confier quelque mission d'importance : « Dis à maman que je vais rentrer seulement à sept heures ce soir. Ne m'attendez pas pour souper. » Elle s'empressait alors de s'acquitter de cette mission, en prenant soin de préciser qu'elle lui avait été communiquée *par écrit*.

Bien que l'un de ses moments préférés demeurât celui de l'histoire d'avant coucher, Anne-Sophie prit l'habitude de lire toute seule, en silence, durant la journée. Elle laissait alors de côté ses livres de Walt Disney car, les sachant par cœur, elle estimait que cela ne comptait pas pour de la lecture. Pour le reste, le choix était plutôt mince. Émile et Stéphanie n'ayant jamais été portés sur les loisirs sédentaires, la bibliothèque familiale ne comportait pas beaucoup de livres pour enfants. On possédait quelques titres de la série des Musti, mais ils se lisaient en deux minutes et ne laissaient aucune trace dans l'esprit. Musti, un petit chat sans personnalité ni expression faciale, vivait des péripéties sans intérêt qui, comme dans le cas des Martine, étaient coiffées de titres ne laissant rien à l'imagination. Par exemple, dans la première page de *Musti à la ferme,* le héros éponyme annonce à sa maman son intention d'aller passer la journée à la ferme. À la page suivante, il y est déjà et fait la rencontre de madame Poule et de ses poussins, avec qui il a un bref échange («Bonjour madame Poule, dit Musti. – Bonjour Musti, lui répondit madame Poule»), avant de reprendre son chemin. Les pages suivantes sont consacrées à des conversations du même acabit entre Musti et d'autres animaux de la ferme. À la fin, il rentre chez lui et s'endort en pensant aux événements de sa journée. En plus de *Musti à la ferme,* on possédait *Musti dans la forêt,* dans lequel notre ami promène son autisme dans les bois («Bonjour monsieur Renard. – Bonjour Musti, lui répondit monsieur Renard»), ainsi que *L'anniversaire de Musti,* dont l'intrigue se laisse aisément deviner. Anne-Sophie se souvient d'avoir été légèrement choquée, malgré son jeune âge, à l'idée que quelqu'un, quelque part, gagnât sa vie à rédiger les aventures de Musti. À part cela, il y avait le *Martine à la plage* dont il fut question plus haut, quelques aventures de Clifford le petit chien rouge (pas beaucoup plus distrayant que Musti), un livre de la famille Barbapapa (qui habitait une maison en forme de coloquinte), ainsi qu'une bonne quantité de livres jouets.

Quelques jours après qu'ils eurent emménagé dans leur maison du Domaine Laflèche, France l'emmena chez Clément Morin, à la Plaza, et lui permit de se choisir quelques livres.

Ensuite, on se rendit à la bibliothèque Hélène B. Beauséjour où Anne-Sophie obtint une carte d'abonnée, démarche qui l'impressionna considérablement. De retour à la maison, elle passa un long moment à contempler ce premier document officiel portant son nom, fière des privilèges que cela lui conférait (elle pouvait emprunter jusqu'à six livres pour une période de quatre semaines), mais en même temps un peu apeurée en songeant aux conséquences que cela entraînerait si elle « perdait ou abîmait un volume ». À sa première visite, elle était si énervée qu'elle emprunta trois titres au petit bonheur, sans prendre le temps de choisir. Ce n'est que lorsqu'elle y retourna la semaine suivante, en compagnie de mononcle Alex et de Sam, qu'elle prit le temps de se familiariser avec les lieux. Elle emprunta deux volumes de la collection « J'aime lire », mettant en scène Tom et Nana, ainsi que deux de la collection « Le monde de l'inexpliqué junior » : celui sur les revenants et celui sur les créatures mystérieuses. Son instinct lui disait que maman n'approuverait sans doute pas ces derniers choix, aussi mit-elle de l'avant Tom et Nana lorsque lui fut posé la question : « Pis, as-tu trouvé des livres à ton goût, mon amour ? », dissimulant les deux autres sous son lit. Le soir venu, quand elle se retrouvait seule avec Sam, on les parcourait à la lueur de la veilleuse, s'attardant longuement sur certaines images particulièrement frappantes, comme cette photo de la « célèbre dame brune de Whitehall », halo lumineux de forme vaguement humaine dans un escalier, et cette autre sur laquelle on voyait – plutôt, on devinait – une vieille dame sur le siège arrière d'une voiture et dont la légende expliquait que cette dame, la mère du monsieur au volant, était décédée depuis une semaine lorsque la photo fut prise. Le livre sur les créatures mystérieuses était, en comparaison, beaucoup moins passionnant. D'abord, ce fameux Sasquatch que des chasseurs prétendaient avoir aperçu en Colombie-Britannique faisait figure de nain de jardin à côté du Wendigo. Idem pour le yéti. Les seuls monstres présentant un certain intérêt, comme par exemple la Méduse, avec sa chevelure faite de serpents, ou encore Grendel l'ogresse, qui mourut au bout de son sang après que Beowulf lui eut arraché un bras, faisaient partie des créatures mythologiques, ce qui signifiait, en termes clairs, qu'elles n'existaient pas.

Elle lut son premier roman à six ans, alors que la plupart de ses camarades de classe apprenaient à déchiffrer leurs prénoms et que Jonathan Coulombe s'ingéniait encore à mémoriser le sien. Il s'agissait de *Après la pluie, le beau temps,* de la comtesse de Ségur, un joli volume à couverture rose dans lequel des petites filles en robe de satin portant des faveurs dans leurs cheveux se rendaient chez leurs cousins en phaéton pour prendre du thé et des gâteaux à l'anis servis par des bonnes nommées Jeannette ou Rosine, sous la supervision de vieilles tantes, aussi appelées douairières, qui, elles, portaient invariablement d'amples robes de nankin et faisaient, le soir venu, des parties de piquet avec le colonel. À la fin, après quelques péripéties, le bien triomphait et la jeune héroïne, pauvre mais vertueuse, épousait un jeune homme tout aussi vertueux mais pas pauvre du tout. Anne-Sophie avala en quelques mois l'œuvre entière de la comtesse, avec une avidité si grande qu'elle ne prit jamais le temps de s'arrêter pour chercher dans le dictionnaire ce que pouvait être un phaéton ou un pain à cacheter.

Pendant ce temps, Samuelle faisait sa première année et apprenait à lire selon la méthode traditionnelle. Luc allait à l'école avec son chien Fido. Luc marchait. Fido trottait. Luc et Fido traversaient la rue, etc. À l'heure des devoirs, le soir après le bain, Anne-Sophie traînait dans le coin et mettait son grain de sel, distribuant tuyaux et encouragements à sa cousine, si bien qu'en plus de savoir lire à la perfection, elle était également au courant de tous les rebondissements de la saga de Luc. On

comprendra aisément son peu d'enthousiasme à l'idée de se taper tout ça à nouveau. « Ah... comme ça, tu sais lire ?
– Oui.
– Eh bien, tu vas nous montrer ça. Voudrais-tu venir en avant ?»
Anne-Sophie trouvait la condition raisonnable. Après tout, n'importe qui peut prétendre savoir lire. Muriel tira du premier tiroir de son pupitre un vieux bouquin jauni intitulé *Les plus belles pages de la littérature française,* dont elle se servait pour ses dictées, comme ses élèves allaient bientôt le découvrir. À cette fin, elle utilisait principalement des passages de Saint-Exupéry ou de Jules Renard, mais elle donna plutôt à lire à Anne-Sophie le début d'un roman appelé *Madame Bovary,* écrit par un certain monsieur Flaubert. Elle lui indiqua le passage du doigt et lui fit signe qu'elle pouvait y aller dès qu'elle se sentirait prête. Anne-Sophie commença donc : *Nous étions à l'étude, quand le Proviseur entra, suivi d'un* nouveau *habillé en bourgeois et d'un garçon de classe qui portait un grand pupitre.* Elle lut avec aplomb, sans trébucher sur aucun mot, au grand ébahissement de ses petits camarades, surtout de Jonathan Coulombe (se trouvant là en vertu de la politique de promotion automatique en vigueur à la maternelle), qui semblait se demander s'il fallait se prosterner devant Anne-Sophie ou bien la jeter au bûcher. La moins surprise ne fut pas Muriel, et cela n'était pas nécessairement bon signe. L'expérience n'avait pas encore enseigné à Anne-So qu'il est de mauvaise politique de prouver à une personne qu'on peut se passer de ses services, surtout si cette personne vous devance dans la hiérarchie. Sans le savoir, elle venait de poser les assises de cette réputation de « petite effrontée » qui allait la suivre tout au long de son parcours scolaire. Nous devons admettre, en toute justice, qu'elle ne tarderait pas à la mériter, mais pour

l'heure tout ce qu'elle voulait c'était que ce raseur de Luc aille à l'école sans elle, si la chose était possible. Apparemment, ça ne l'était pas. Elle fut interrompue au beau milieu d'une phrase par un : « C'est beau. Va t'asseoir » à peu près aussi chaleureux qu'une nuit d'hiver à Kipaowé. Interdite, elle tourna la tête vers Muriel pour voir si sa physionomie correspondait au ton de sa voix. Il n'y avait pas à se tromper : sa maîtresse était bel et bien en colère contre elle, sans qu'il lui fût possible d'en comprendre la raison. Elle rendit le livre et, les jambes molles, retourna à sa place où elle passa le reste de la journée comme dans un rêve, s'efforçant de ne pas éclater en sanglots. Elle n'entendait rien, ne pensait à rien, n'espérait plus rien ; sa vie était finie. Cette réaction peut sembler excessive, mais qu'on veuille bien essayer de se rappeler ce qu'on a éprouvé la première fois qu'une grande personne – qui plus est, une grande personne en position d'autorité – nous a témoigné de l'hostilité. Rien ne nous prépare à cette épreuve. Tout au long de notre petite enfance, les adultes de notre entourage, parents, grands-parents, mononcles, matantes et amis de la famille nous accablent d'amour, s'ébaubissant de nos moindres gribouillages, célébrant en grande pompe nos premiers cacas dans le petit pot, nous trouvant du génie le jour où nous arrivons à nous servir d'une fourchette. Faute d'expérience contraire, on s'attend à ce qu'il en aille ainsi pour l'éternité. On n'est certes pas assez niais pour réellement penser que faire caca constitue un exploit, mais on l'est tout de même suffisamment pour croire que les gens que l'on croisera dans notre vie seront naturellement disposés, par amour pour nous, à saluer d'une salve d'honneur chacun de nos cacas. Et, à moins qu'on ne soit le dalaï-lama ou l'empereur du Japon, cette attente est toujours déçue.

Le traumatisme est encore plus grand lorsque la personne qui nous prend pour objet de son aversion est notre maîtresse d'école ;

premièrement parce que durant l'année scolaire on passe un plus grand nombre d'heures en sa compagnie qu'avec nos parents, mais surtout parce qu'il s'agit là d'une espèce particulièrement rancunière. Quand une enseignante du primaire a décidé que votre tête ne lui revenait pas, vous êtes comme dans des sables mouvants : chaque geste que vous ferez pour vous dépêtrer ne servira qu'à vous enfoncer davantage. Dès l'instant où vous attirez son attention pour la première fois, elle vous épingle une étiquette que vous garderez jusqu'au dernier jour de classe et qui vous suivra l'année suivante, pour peu que vous ayez le malheur de faire l'objet d'une conversation dans la salle des professeurs. Ainsi, cette petite blonde en collants rayés au premier rang était une insupportable mademoiselle Je-sais-tout qu'il convenait de remettre à sa place à la moindre occasion, et cela pour son propre bien. À partir de ce jour, chaque fois que l'on entamait un nouveau sujet, Muriel prenait soin de mentionner au passage qu'elle s'adressait à tout le monde sauf à mademoiselle Bonenfant qui, elle, n'avait pas besoin d'écouter, puisqu'elle savait déjà tout. Bref, cette première année eût été un interminable cauchemar pour Anne-Sophie si elle n'avait trouvé une alliée en la personne de son ancienne rivale de l'équipe des verts.

Après vingt-cinq ans dans l'enseignement, Muriel avait depuis longtemps décidé qu'il n'existait point d'individus, seulement des catégories d'individus. Anne-Sophie Bonenfant n'était pas la première, beaucoup s'en fallait, mademoiselle Je-sais-tout à qui elle rabattait le caquet ; Jonathan Coulombe n'était pas le premier cancre auquel elle tenterait de faire entrer, de gré ou de force, quelque chose dans le crâne ; Annie Lavergne n'était certainement pas la première téteuse de prof sur laquelle elle ferait pleuvoir ses bienfaits. Mais il arrivait quelquefois qu'un élève refuse de se laisser enfermer dans l'une ou l'autre des catégories préétablies, ce qui avait le don d'irriter

149

Muriel au dernier degré. Ainsi, bien qu'elle eût été incapable de formuler un grief précis à l'encontre de Laurence, le simple fait qu'elle échappât à son analyse lui semblait être un affront personnel. Elle ne l'encadrait pas, tout simplement, et comme elle se piquait d'impartialité, elle se raccrochait à la moindre vétille – l'ombre d'un sourire ironique, un devoir négligé, un bâillement – pour justifier à ses propres yeux son antipathie pour cette petite pimbêche.

Contrairement à Chantal, son instinct politique laissait à désirer, aussi commit-elle l'erreur fatale de favoriser l'union de ses deux souffre-douleur en leur infligeant une punition commune. Voici ce qui arriva. En ce temps-là au Québec, les écoliers avaient encore droit à une « pause-lait » dans l'avant-midi. Vers le milieu de la matinée, on envoyait deux élèves quérir le nombre requis de berlingots dans le grand refrigérateur au bout du couloir. Bien sûr, le poste de délégué aux berlingots faisait l'objet de toutes les convoitises – flâner dans les corridors pendant que vos camarades s'embourbaient dans des histoires de fractions représentait un bonheur presque trop grand pour votre petite âme – et, en conséquence, il était généralement attribué aux plus méritants. Muriel, toutefois, s'aimait suffisamment pour considérer comme un châtiment cruel le fait d'être tenu loin du soleil de son éloquence, ne serait-ce que cinq minutes. Aussi crut-elle frapper un grand coup, certain matin, en décrétant que mesdemoiselles Anne-Sophie Bonenfant et Laurence Douville seraient de corvée de lait, et ce jusqu'à nouvel ordre. Comme si ce n'était pas assez, elle tournait le fer dans la plaie en s'arrangeant toujours pour proclamer la pause-lait juste avant d'arriver au point culminant de l'un de ses récits, donnant à entendre que ledit point culminant surviendrait pendant que les deux malheureuses seraient en route vers le stock de berlingots.

Anne-Sophie accueillit avec des sentiments mitigés l'annonce de cette « punition ». Bien sûr, ces quelques minutes de liberté la réjouissaient, mais pourquoi diable devait-on s'y mettre à deux pour transporter vingt-cinq berlingots de lait ? Sans doute était-ce l'usage, mais dans ce cas pourquoi fallait-il que la deuxième soit cette fille au long cou qu'elle avait tant de fois vouée aux gémonies pendant la maternelle ? Le premier matin, elles firent le trajet en silence, côte à côte, chacune tenant une poignée du bac de plastique. Elles ne se concertèrent même pas pour déterminer qui ferait quoi. Arrivées à destination, Laurence s'accroupit et entreprit de remplir le bac en comptant à voix haute. Le compte atteint, Anne-Sophie confirma la justesse du calcul par un infime mouvement de tête, puis elles retournèrent en classe. Demain, les rôles seraient inversés. Elles se comprenaient déjà sans avoir à se parler.

S'il n'en avait tenu qu'à Anne-Sophie, elles ne se seraient jamais adressé la parole, eussent-elles été collègues de berlingots jusqu'à leur retraite. Mais, contrairement à elle, Laurence avait traversé quelques épreuves dans sa courte existence et avait acquis des mécanismes de défense, comme le sens de l'humour et la faculté de mettre les choses en perspective. Les conflits de la maternelle ne lui semblaient pas si importants que ça. Et puis elle avait gagné, non ? Elle pouvait bien se montrer magnanime et faire les premiers pas. Le deuxième matin, elles se rendirent à nouveau au frigo en silence et, comme prévu, ce fut au tour d'Anne-So de remplir le bac. Cette tâche effectuée, elle se prépara à repartir, quand elle vit Laurence commettre cet acte inconcevable : elle rouvrit le frigo, prit un berlingot et le but en entier, d'une seule gorgée, les yeux fermés et la tête penchée en arrière. Elle laissa ensuite échapper un soupir de satisfaction, puis elle referma soigneusement le bec verseur du berlingot avant de le remettre en place. Elle s'apprêtait à refermer la porte quand, semblant soudain s'aviser de la présence d'Anne-Sophie – qui s'efforçait d'afficher un air impassible, malgré le désarroi qu'elle éprouvait à être mêlée à un crime aussi grave –, elle lui dit : « En veux-tu un ?

– Heu… j'aime pas vraiment le lait, fut tout ce qu'elle trouva à répondre.

– Ça tombe bien, c'est pas vraiment du lait.

– C'est quoi d'abord ?

– C'est du lait volé, c'est mille fois meilleur que du lait. Tiens, goûte. »

Avant qu'Anne-Sophie eût le temps de protester, Laurence avait déjà ouvert un nouveau berlingot et le lui tendait. La peur de perdre la face l'emportant sur toute autre considération, elle n'eut d'autre choix que de franchir le Rubicon. Le liquide se fraya difficilement un chemin dans sa gorge serrée par l'angoisse, mais elle réussit néanmoins à vider le contenant de carton. Elle aurait eu du mal à dire si le lait volé avait effectivement meilleur goût que le lait tout court, ses sens n'ayant rien enregistré, cependant elle devait admettre que jamais gorgée de lait ne lui avait procuré des sensations aussi fortes. Elle sentait son cœur battre au rythme d'une machine à coudre quand elle pénétra dans la classe, convaincue que son forfait était inscrit sur son visage. Elle se détendit un peu quand elle constata que Muriel ne leur prêtait aucune attention ; puis, pendant qu'elle buvait son berlingot « légitime » de concert avec ses petits camarades, elle sentit une étrange satisfaction l'envahir, comme il arrive toujours lorsqu'on fourre le système impunément. Une conséquence fatale à cela est de vous faire perdre tout respect pour le système. On ne respecte jamais ce qu'on fourre. Et comme en l'occurrence le « système » était incarné en la personne de Muriel, inutile de dire qu'elle perdit quelques plumes dans l'estime d'Anne-Sophie. Il semblait bien, tout compte fait, que les maîtresses d'école ne fussent point des sortes de demi-dieux, dotés de pouvoirs paranormaux ; que lorsqu'elles disaient des choses comme «J'ai des yeux tout le tour de la tête» ou «Tout finit par se savoir», ça n'était que pure fanfaronnade. Si ça se trouvait, il s'agissait de gens en tout point semblables aux autres, guidés par leurs caprices et sujets à l'erreur. On pouvait tomber dans leurs mauvaises grâces du jour au lendemain, sans trop comprendre pourquoi, mais on pouvait aussi commettre des délits à leur nez et à leur barbe. Bon à savoir.

Casser du sucre sur le dos de Muriel devint leur principale activité sur le chemin du frigo. Tout y passait : ses robes, sa coiffure, sa démarche, sa manière de rouler les «r», etc. Elles riaient comme des folles à inventer des aventures inédites mettant en scène sa sœur Louise, son mari Réal et son amie Marthe. En fait, elles s'amusaient si bien que cela finit par leur coûter leur poste. Qu'elles prissent de plus en plus de temps chaque jour à accomplir leur tâche avait déjà mis la puce à l'oreille de leur victime, mais ce n'est que lorsque cette dernière les entendit rire dans le corridor qu'elle dut se résoudre à considérer la possibilité que la corvée de berlingots ne représentât pas exactement l'enfer sur terre pour ces deux fortes têtes. Elle les démit aussitôt de leur fonction, mais le mal était fait : elles étaient dorénavant amies.

Ce fut un véritable coup de foudre. Il faudrait attendre le règne éphémère de Félix Lyonnais, en 3ᵉ secondaire, pour voir une autre personne accaparer les pensées d'Anne-Sophie à ce point. Quand France lui demandait, à son retour de l'école, de lui raconter sa journée, elle débutait invariablement son récit par : «Mon amie Laurence a dit... », «Laurence pis moi on a... », ou quelque formule du genre. Ses autres amies – à l'exception de Sam, qu'elle considérait plutôt comme une sœur – virent subitement leur étoile pâlir. À la récréation, quand Cam Duplessis et Léa Corriveau venaient la chercher pour jouer à l'élastique, elle devait se forcer pour faire bon visage. Au mieux, la compagnie des autres l'ennuyait ; au pire cela la mettait à la torture, comme lorsqu'elle discutait avec Laurence et que Cassandre Pépin se joignait à elles. Cassandre était à cette époque la meilleure amie de Laurence, ce qui signifiait qu'elle la voyait après l'école et les fins de semaines. Une phrase aussi anodine que : « Ma mère fait dire qu'elle va aller te chercher pour ma fête, samedi, si ta mère peut pas », adressée à Laurence par Cassandre procurait une douleur physique à Anne-Sophie, et elle souhaitait de toutes ses forces que celle qui l'avait proférée se fasse enlever par des extra-terrestres ou soit victime de combustion spontanée dans son sommeil. Car, bien que le coup de foudre fût réciproque, bien que Laurence ne fût pas moins éprise qu'Anne-So, chacune ignorait la force des sentiments de l'autre et s'imaginait avec désespoir n'être considérée que comme une « amie d'école ». On était fière et on n'osait pas ouvrir son cœur, de peur d'être rejetée. Laurence, qui avait brisé la glace, estimait qu'il revenait à Anne-Sophie de faire le pas suivant, et que si elle ne le faisait pas, c'était tout simplement parce qu'elle n'y tenait pas. Anne-Sophie, de son côté, ne voyait pas ce qu'elle avait à offrir de mieux, comme meilleure amie, que cette Cassandre Pépin, à qui elle rendait justice malgré l'aversion qu'elle lui portait. Elles se tendaient des perches, timidement, mais comme il arrive toujours lorsqu'on est amoureux, cela ne suffisait pas. Il eût fallu être explicite, dire carrément : « Je t'aime, je pense constamment à toi, veux-tu être ma vraie meilleure amie, pas juste ma meilleure amie d'école ? » Par exemple, si Laurence narrait quelque tour d'adresse exécuté par Gontran, le caniche de sa mère, elle ajoutait : « Yé tellement drôle ! Faudrait que tu le voies ! », espérant qu'Anne-Sophie, désireuse de voir l'artiste à l'œuvre, cherche à se faire inviter. Mais celle-ci se contentait de répondre que le spectacle devait en effet être fort divertissant.

Cette situation dura quelques semaines, en fait jusqu'à l'approche des vacances des fêtes. Ce fut cette perspective de ne point voir son amie pendant deux longues semaines qui décida Anne-Sophie à faire sa déclaration. Si Laurence lui brisait le cœur, eh bien tant pis : cela ferait toujours moins mal, en bout de ligne, que de continuer à vivre dans l'incertitude. Cela se passa pendant le cours d'éducation physique, où elles étaient également toutes deux en disgrâce auprès de Martial, le professeur. Cette fois elles l'avaient un peu cherché. Au début de chaque cours, Martial expliquait l'activité au programme, insistant sur l'importance d'être prudent car, disait-il – et cet avertissement était systématiquement répété, que l'on jouât au flag-football ou que l'on fît du cheval d'arçon –, « Ça a l'air de rien, mais j'ai connu un petit gars qui a perdu un œil en jouant à ça ». Si Martial disait vrai, on aurait rencontré des borgnes à tous les coins de rue à Grand-Mère, malgré cela personne ne songeait à mettre sa parole en doute et les bouches s'arrondissaient de stupeur à l'évocation de ce malheureux garçon éborgné pendant une course à relais. Cependant, Laurence décida que Martial passait la mesure le jour où, avant une partie de kin-ball (jeu consistant à maintenir en l'air un gros ballon de plage), il leur servit la mise en garde d'usage ; elle ne put s'empêcher de lever la main pour demander comment, au juste, ce malheureux s'y était pris pour se crever un œil en jouant au kin-ball. Martial, qui ignorait jusqu'à l'existence du concept d'ironie, s'apprêtait à répondre (soit en mentant, plus vraisemblablement en éludant) quand Anne-Sophie pouffa, imitée une seconde plus tard par Laurence. Il réalisa alors, mais sans comprendre pourquoi, qu'on se payait sa tête. Blessé dans son orgueil, il imposa la sanction la plus sévère qu'un coach puisse imaginer : clouer les fautives sur le banc. Aussi peu avisé que Muriel, il considérait apparemment comme une rude punition le fait d'être tenu à l'écart du groupe pendant une partie de petit cochon ou de hockey-saucisse. Il les forçait à demeurer assises près de la pile de matelas pendant l'heure entière, leur jetant de temps en temps un regard plein de hauteur, l'air de dire : « That's what you get when you fuck with Martial Groleau ! » Anne-Sophie fut moins mortifiée par la punition que par la conscience d'avoir commis un acte subversif. Son rire avait été involontaire, soit, mais elle savait qu'à peine deux mois plus tôt elle n'aurait jamais osé douter de la parole d'un adulte. Elle aurait tout gobé et serait rentrée à la maison en claironnant qu'une petite fille avait un jour perdu un œil en faisant des redressements assis. Oui, vraiment, la petite Douville commençait à « déteindre sur elle », comme disait Muriel.

Bref, Anne-Sophie et Laurence, exclues du groupe, disposaient de deux heures par semaines pour placoter à leur aise. C'est pendant le dernier cours avant les fêtes qu'Anne-Sophie fit sa grande demande. Elle tourna un peu autour du pot, s'informa de la façon dont son amie comptait occuper son temps pendant les vacances. Les parents de Laurence étant divorcés et tous deux remariés, elle assisterait à un nombre extravagant de dîners, soupers et réveillons, recevrait une barge de cadeaux de la part des Douville et des Cossette, jouerait à la cachette dans les manteaux avec d'innombrables cousins, cousines, demi-frères et demi-sœurs. Avec un peu de chance, son grand frère Sébastien l'emmènerait skier quelques fois. Anne-Sophie raconta que le dernier Noël dans sa famille avait un peu manqué d'allant en raison de la mort de son cousin, survenue à peine quatre mois plus tôt. On s'était forcé « pour les enfants », mais les enfants sentent toujours ces choses-là. On avait bien joué à la cachette dans les manteaux entre cousins, mais le cœur n'y était pas vraiment. Cette année, par contre, elle s'en promettait. Sa tante Micheline, qu'elle n'avait vue que deux fois dans sa vie, viendrait de l'Ontario passer les fêtes avec eux, accompagnée de son mari et de ses enfants, Vincent et Isabelle. Elle ajouta qu'elle aussi avait un grand frère qui skiait, mais elle ne l'accompagnait jamais, elle préférait patiner. D'ailleurs, son grand-père faisait chaque hiver une grande patinoire derrière sa maison, boulevard Saint-Onge. C'est alors que, la gorge sèche et les intestins noués, elle joua son coup décisif. Elle demanda à Laurence si elle aussi aimait patiner. Elle connaissait la réponse à cette question, elles en avaient déjà parlé, et sans doute que Laurence s'en souvenait également et savait qu'Anne-Sophie s'en souvenait, mais c'était sans importance. Elle confirma qu'en effet, elle adorait patiner. « Bin tu pourrais venir patiner chez mon grand-père...

– Oui, j'aimerais ça. »

Elles se détournèrent l'une de l'autre pendant quelques secondes, par pudeur, pour se cacher mutuellement leur joie trop apparente puis, ayant pris sur elles, elles réglèrent les détails de l'affaire. Benoît – le beau-père de Laurence – ne ferait sans doute pas de difficultés pour la conduire chez les Bonenfant, demain après le dîner. De là, on se rendrait au boulevard Saint-Onge avec France et le reste de la famille.

Elles patinèrent bien quelques instants, en compagnie de Sam et de Stéphanie, mais elles passèrent la plus grande partie de l'après-midi à rire et à parler avec animation, agrippées l'une à l'autre dans un coin de la patinoire. Que se disaient-elles ? Impossible de s'en souvenir pour l'une comme pour l'autre. Rien de bien édifiant, à coup sûr, il s'agissait avant tout de faire du bruit avec leur bouche pour évacuer le trop-plein de contentement que leur procurait leur compagnie mutuelle. Sam et Stéphanie étaient rentrées depuis longtemps et le soleil commençait à décliner quand Rose les força à rentrer prendre une tasse de chocolat chaud. Après cela, ce fut : « Maman, Laurence peut-tu rester à souper ? » Eh bien oui, si sa maman était d'accord, elle était la bienvenue. Après souper, Anne-Sophie l'emmena dans sa chambre pour lui montrer ses livres et ses jouets, puis ce fut : « Maman, Laurence peut-tu rester à coucher ? Je peux lui prêter mon pyjama de girafe. » France et Josée – la mère de Laurence – entrèrent en contact pour la première fois à cette occasion (« Vous êtes certains que ça vous fait rien ? – Bin non, sont pas tannantes ensemble, on les entend pas », etc.). Malgré la fatigue causée par l'émotion et par le fait d'être demeurées si longtemps au grand air, on passa des heures à chuchoter et à ricaner sous les couvertures, avant de finalement s'endormir, pelotonnées l'une contre l'autre.

À partir de ce jour elles furent inséparables. On ne disait plus « Laurence » ; on ne disait plus « Anne-Sophie » ; on disait, tout naturellement, « Laurence et Anne-Sophie ». Il eût été impensable, pour leurs amis communs, de les inviter séparément. D'ailleurs, elles n'auraient plus que des amis communs. Encore aujourd'hui, son biographe peut en témoigner, trouver grâce aux yeux de Lo est une condition *sine qua non* pour être admis dans le cercle familier d'Anne-Sophie.

Si elle est capable de se remémorer presque chaque journée de l'année de ses cinq ans, marquée par son arrivée en ville, la mort de son cousin et son entrée à la maternelle, les années suivantes se fondent les unes dans les autres et il lui faut regarder la date au verso des photos pour situer les événements dans le temps. Grand-Mère s'était peu à peu résorbée au fil des mois et lui apparaissait maintenant dans ses dimensions objectives. Elle avait séjourné chez ses cousins de Québec et s'était rendue à quelques reprises à Montréal – chez la marraine de Lo, qui habitait près du Stade olympique – où elle avait voyagé en métro, essayé tous les manèges de La Ronde, contemplé la ville depuis le dernier étage de Place Ville Marie, assisté à une altercation entre des laveurs de pare-brise et des policiers et vu un monsieur dans la rue soutenir une intense joute verbale avec un interlocuteur invisible. Non, vraiment, elle ne comprenait pas comment Grand-Mère avait pu l'impressionner.

En 1992, Louis fut convié à l'inauguration du Complexe d'habitation Noranda. Lorsqu'il proposa aux enfants de l'accompagner, ils refusèrent avec un haussement d'épaules. « Vous avez pas envie de revoir notre ancienne maison pis vos amis ? Toi, chouchoune, t'as pas envie de revoir Sarah ? » Bof. On n'est point nostalgique à cet âge, les choses perdent vite de leur intérêt dès qu'elles quittent notre champ de vision. Bien qu'elle ne se lassât pas d'interroger grand-maman Rose sur l'ancien temps (« Comment tu t'habillais quand t'étais jeune ? Comment t'as rencontré grand-papa ? Maman étais-tu tannante quand elle était petite », etc.), ce n'est que beaucoup plus tard, dans la vingtaine, qu'elle commencerait à se pencher avec attendrissement sur son propre passé.

Elle était Anne-Sophie Bonenfant, sujet et collaboratrice zélée de ton prochain « roman ». Elle était Anne-So dans son vieux t-shirt des Sugarcubes et ses boxers, alors que vous jouiez à NHL 2008 dans le sous-sol de ses parents et qu'elle traversait tes Canadiens quand elle voulait avec ses Stars de Dallas. Pour France, elle était toujours « mon amour » ; pour Louis elle était soit « mon petit rat », soit « chouchoune », malgré qu'elle l'eût supplié à de nombreuses reprises de renoncer à ce dernier surnom, du moins devant les gens. Pour ses deux grand-mères, elle était tour à tour « ma puce », « ma cocotte », « ma chouette », « ma belle », etc., et qu'elle fût âgée de vingt-quatre ans et qu'elle achevât son bac n'y changeait rien. Elle était « Cannelle » pour son oncle préféré, « mademoiselle Anne-Sophie » pour grand-papa Louis-Marie et « madame Chose » pour sa cousine Samuelle. Pour Lo, elle était également Anne-So et « mon amour », mais aussi « ma chérie », « connasse » ou « gros cul ». Toi ? Elle était toute ta vie, carrément. Elle était ton amour, ta puce, ta cocotte, ton rat, ta chérie, ta connasse, tout ça à la fois et plus encore. Elle ne ressemblait pas plus à Ellen Page qu'avant, mais c'était maintenant plutôt à cette dernière qu'il fallait reprocher de ne point ressembler à Anne-So. Comme je le disais, tu aurais pu, facile, la posséder corps et âme, mais tu avais préféré renoncer à son corps pour une double ration d'âme, tu aurais pu « sortir avec », en faire ta blonde et, corrige-moi si je me trompe, tu commençais à regretter de ne pas avoir saisi l'occasion. Était-il trop tard *à ce moment-là ? Peut-être que oui, peut-être que non, mais tu étais trop orgueilleux pour vérifier, et d'ailleurs elle semblait satisfaite de la manière dont votre relation avait tourné. Ses yeux ne te disaient plus jamais : « Embrasse-moi ! »*

C'est bien beau l'âme, je ne te contredirai pas là-dessus, mais c'était son corps que tu avais sous les yeux presque chaque jour et que tu ne te fatiguais pas de contempler pendant qu'elle te racontait sa vie. Tu connaissais par cœur chaque centimètre carré de sa peau, du moins des parties qu'il est socialement acceptable de dévoiler, et une décharge électrique te parcourait l'échine au moindre contact, comme les deux becs qu'elle te donnait sur les joues quand tu partais, ou la « bine » indignée qu'elle t'assénait les rares fois où tu parvenais à déjouer son gardien.

Les premières séances eurent lieu dans l'appartement qu'elle partageait avec Laurence, rue Couillard. Vous vous asseyiez face à face sur son lit, une théière à portée de main et, après quelques propos indifférents et rires gênés, vous entriez dans le vif du sujet. Tu avais fait l'acquisition d'un petit magnétophone comme en ont les journalistes, que tu lui tendais pendant qu'elle parlait. De retour chez toi, tu te repassais la bande et tu tapais un verbatim de votre entretien. Cela te prenait des heures mais ce travail de moine ne te rebutait pas, rien ne te rebutait venant d'elle. C'étaient sa voix, ses mots, sortis de sa bouche. Une petite partie d'elle que tu ramenais à la maison. Tu t'y accrochais, tu faisais durer le plaisir, parce que sinon quoi ? Lire des livres où on ne la mentionnait pas ? Voir des films où elle n'apparaissait pas ? Dormir dans un lit où elle n'était pas ? Cela te déprimait trop, alors tu préférais écouter la bande encore et encore.

Au début elle se confiait timidement, tu devais sans cesse la relancer à l'aide de nouvelles questions puis, au bout de quelques séances, on ne t'entendait plus sur les enregistrements, sinon pour le « un-deux-test » du début. Elle dévidait ses souvenirs sans ordre, hâlant de quelque recoin de son cerveau des détails auxquels elle n'avait plus songé depuis des années, des anecdotes oubliées depuis l'enfance. Elle prenait l'exercice au sérieux et avait décidé de se montrer d'une totale franchise. Lorsque parfois elle allait trop loin dans ses confidences, quand par exemple elle te révélait des secrets de famille ou qu'elle cassait du sucre sur le dos d'une connaissance, ou encore quand elle te racontait des choses qu'elle préférait que ses parents ignorent, comme ses premières expériences sexuelles, dans ces cas-là elle t'appelait, paniquée, pour te dire : « Tsé, ce que je t'ai dit tantôt, à propos de... bin en tout cas tsé quoi... bin j'aimerais mieux que tu t'en serves pas pour le livre. » Tu avais fini par la rassurer une fois pour toutes en t'engageant à lui faire approuver le manuscrit final. Cela avait vaincu ses dernières inhibitions. Elle te pétait de la broue en toute confiance, ne te cachant rien, si bien qu'en peu de temps tu pus te vanter d'en savoir plus long sur elle que quiconque sur cette planète, hormis Lo. Tu aurais pu donner des conférences à son sujet dans les universités, si seulement il s'était trouvé des universités ayant eu le bon sens élémentaire de la mettre au programme. Elle t'avait même – après s'être fait longuement prier, il est vrai – laissé jeter un œil sur sa production littéraire. Son brin de plume ? Au-dessus de la moyenne, je le concède, mais ça ne veut pas dire grand-chose. À ton avis elle enfonçait Montaigne facile, passait le K.-O. à Hemingway au premier round, mettait Nabokov dans sa petite poche et pouvait donner des cours de rattrapage à Proust, mais personne n'est forcé de partager ton opinion, hein ?

Toi aussi, tu commençais à prendre ça au sérieux. Tu avais depuis longtemps oublié que cette histoire de biographie n'était, à l'origine, qu'une astuce tordue pour concilier ton désir de la posséder et ta peur de l'engagement. À l'instar de Raël, tu t'étais mis, en cours de route, à croire à tes conneries. Le moindre fait la concernant te passionnait à un tel degré que tu ne pouvais concevoir qu'il en allât autrement pour autrui, aussi tu t'imaginais faire œuvre utile en livrant cette Vie d'Anne-Sophie Bonenfant *au grand public. Quand on pense qu'au début tu n'étais même pas certain de pousser le projet jusqu'à l'étape de la rédaction, on peut dire que tu avais cheminé.*

Ses parents n'avaient pas tiqué le jour où elle avait ramené à la maison un garçon de dix ans son aîné qu'elle leur présenta comme son « ami et biographe ». Il faut croire que ta qualité d'écrivain t'a servi de sésame auprès de cette famille de lettrés. Ils se sont même prêtés au jeu, surtout France, qui a passé des soirées entières en ta compagnie à évoquer les premières années de sa fille chérie, en plus de mettre à ta disposition tous les documents qu'elle a pu dénicher, dont le livre de bébé de ta bien-aimée, lequel renfermait des renseignements aussi cruciaux que son poids à la naissance et la date exacte où elle avait renoncé à sa suce. Avec un mémoire et une thèse à son actif, France était sensible à l'importance des sources dans un travail de recherche.

Quand vous étiez à Grand-Mère, il vous arrivait, si la météo le permettait, de « travailler » en plein air. Vous vous retrouviez alors près du Motel des 10, qui était à peu près à mi-chemin du domicile de ta mère et de celui de ses parents, et vous marchiez au hasard, prenant soin toutefois d'éviter la Sixième, par crainte de tomber sur des connaissances, elle reprenant le fil de son récit, toi tendant le magnétophone et la regardant parler. Cela vous absorbait tellement qu'il n'était pas rare, au bout de quelques heures de marche, que vous vous arrêtiez pour regarder autour de vous en vous demandant comment vous étiez arrivés là. (« Eh ! Qu'est-ce qu'on fait à Saint-Georges ?

*As-tu eu connaissance d'avoir traversé le pont ? – Pantoute ! »)
Il t'arrivait également de parcourir la ville seul afin de
contempler les endroits dont elle avait fait mention, des endroits
où tu étais passé des milliers de fois sans faire attention, mais
qui exerçaient maintenant une puissante fascination sur toi,
puisqu'ils avaient été les témoins des événements marquants
de sa vie. Le terrain vague derrière la Grand-Mère Shoes
et le parking des blocs à Lavoie, où elle avait souvent joué,
en revenant de l'école, à la cannisse ou aux pas de géants,
avec les petits voisins de Laurence. Le cimetière des Anglais,
où elle avait échangé son premier baiser, pas avec Félix
Lyonnais malheureusement, plutôt avec Guillaume Cloutier,
ce qui représentait une sensible déchéance. Cette maison que
tu n'avais jamais remarquée, qui n'avait d'ailleurs rien de
remarquable, dans la côte du Grand-Nord, où elle avait perdu
sa virginité, à seize ans, toujours avec Guillaume Cloutier. Tu
passais et repassais devant ce bungalow, le scrutant comme si
tu en attendais quelque révélation capitale. Ce Guillaume
Cloutier avait paraît-il mal tourné. Devenu stricker pour les
Blatnois à dix-huit ans, il avait été arrêté lors du démantèlement
du groupe et, aux dernières nouvelles, achevait de purger
sa peine à Donnacona. Lui arrivait-il parfois, le soir dans sa
cellule, de fermer les yeux et de se remémorer cette soirée de
septembre 2001, de repenser aux lèvres d'Anne-Sophie, à ses
seins, à son odeur ? Quoi qu'il en soit, tu en avais gros sur le
cœur contre ce karma imbécile qui t'avait fait naître toi plutôt
que Guillaume Cloutier. Mais qu'est-ce que ça aurait changé ?
Qu'est-ce qui te fait croire que tu aurais saisi ta chance ? Poser
la question c'est y répondre, il me semble.*

À force de nous faire répéter par nos professeurs que l'école sert avant tout à nous préparer à la vie, on peut être amené à croire, dans notre jeune âge, que les diagrammes de Venne seront une composante essentielle de notre existence future, que la plupart des problèmes que rencontrent les grandes personnes dans une journée se résolvent en découvrant des sous-ensembles et en hachurant des intersections. Quelle déconvenue quand on découvre qu'il n'en est rien ! Que les heures innombrables passées à étudier les ingénieuses figures de monsieur Venne n'apportent, au bout du compte, pas le moindre début de réponse aux questions qui nous tiennent vraiment à cœur. (Comment vais-je payer le loyer ce mois-ci ? Que vais-je faire jusqu'à ce que je meure ? M'aime-t-elle encore ? Carey Price est-il vraiment le gardien qu'il nous faut ?) Mais bon, quand on a neuf ou dix ans, on ne se projette point aussi loin dans l'avenir, on ne voit pas plus loin que le prochain bulletin et la prochaine visite de parents, alors on hachure les intersections avec un beau zèle, on mémorise sa table de huit, on apprend les noms des capitales des provinces et leurs années d'entrée dans la Confédération et on se rentre dans la tête une bonne fois pour toutes que toujours prend toujours un « s ».

Anne-Sophie et Laurence n'aimaient pas beaucoup l'école. Toutefois, dès la deuxième année, elles avaient compris que la meilleure façon de limiter les dégâts, de faire en sorte que l'école n'empiète pas indûment sur leur vie, consistait à se maintenir dans les bonnes grâces relatives de la maîtresse et à afficher une moyenne générale autour de 85 % – passé ce seuil, vous créiez des attentes ; au-dessous, vous vous retrouviez avec des « Bien, mais peut faire mieux » sur votre bulletin et vous en entendiez parler à la maison. Elles passaient leur journée à l'école sur le pilote automatique et ne commençaient à vivre réellement qu'au moment où elles se retrouvaient dans la cour, à trois heures et demie. Elles commentaient alors les événements du jour, s'en payant une bonne tranche aux dépens de la maîtresse et de la plupart de leurs camarades. Les autobus étaient partis depuis longtemps et le jour commençait à décliner qu'elles étaient encore là à papoter, assises sur le rack à bicycles. Puis l'une d'elles déclarait : « Faudrait que je fasse un bout sinon ma mère va me tuer », ce qui n'était qu'une phrase rituelle, ni Josée ni France ne préconisant l'infanticide comme méthode d'éducation, et d'ailleurs toutes deux savaient où se trouvaient leurs filles. Si, par exemple, c'était Anne-Sophie qui avait donné le signal du départ, elle partait en direction du Domaine et Laurence lui faisait un brin de conduite. Vers la Quinzième Avenue, elle disait : « Ouin, bin faudrait que je pense à revirer de bord. – O.K. Je vais faire un bout avec toi. » Et on partait dans l'autre direction. Arrivées aux alentours du dépanneur Visez Juste, sur la Troisième Avenue (Laurence et sa famille habitaient dans les « blocs à Lavoie », sur la Deuxième), c'était au tour d'Anne-Sophie d'annoncer qu'elle rebroussait chemin, et bien sûr Laurence l'accompagnait. Bref, on se reconduisait comme ça l'une chez l'autre jusqu'à l'heure du souper et là, celle qui par hasard se trouvait le plus proche de chez elle disait à l'autre : « Viens manger chez nous, de toute façon t'auras pas le temps d'arriver chez vous à temps pour le souper. »

Après le repas, on expédiait les devoirs et on allait jouer dehors. Les deux voisinages, le Domaine et les blocs, présentaient la caractéristique commune de constituer un inépuisable réservoir d'amis à usage unique, de ces copains avec qui on s'adonne à des jeux en groupe tous les jours pendant notre enfance, mais à qui on n'adressera pas nécessairement la parole au secondaire pour peu qu'ils appartiennent à un autre groupe social que le nôtre, et dont on s'amusera, plus tard, dans un moment de désœuvrement et de nostalgie, à taper les noms dans Facebook pour savoir ce qu'ils sont devenus. Aux blocs, il y avait en permanence de dix à quinze enfants derrière la Grand-Mère Shoes ou dans le rond-point, se livrant à une perpétuelle partie de cannisse ou à quelque guerre verbale avec des jeunes des rues avoisinantes. On s'y joignait sans façon et on repartait de même. Dans le Domaine, l'activité à la mode consistait à s'introduire sur le site du Village d'Émilie, après les heures d'ouverture, pour y jouer à la cachette ou pour le simple plaisir de se trouver là où on n'avait pas le droit. Les plus audacieux entraient dans les bâtiments pour commettre quelques menus larcins, comme faire main basse sur l'authentique nécessaire de toilette d'Ovila. (Heureusement, les dirigeants du Village disposaient d'une bonne réserve d'authentiques nécessaires de toilette d'Ovila, et l'objet était remplacé avant l'arrivée des touristes le lendemain.) S'il pleuvait ou s'il faisait trop froid, on demeurait à l'intérieur et on allait jouer dans la chambre (chez Laurence) ou dans le sous-sol (chez Anne-Sophie).

Bien qu'elles passassent tout leur temps libre ensemble, elles avaient au fond peu d'intérêts communs. Souvent, elles vaquaient à des activités différentes, Anne-Sophie lisant et Laurence dessinant, pendant des heures entières, sans se parler, s'accrochant du regard de temps en temps, comme pour se dire mutuellement : « Je suis contente que tu sois là. » Les chevaux étaient la grande passion de Laurence ; ses grands-parents maternels possédaient une fermette à Saint-Sévère, où ils en gardaient cinq ou six en pension. Elle s'y rendait chaque fois qu'elle pouvait pour aider à nettoyer les stalles, brosser les bêtes et les faire marcher dans le manège pour leur délier les jambes. Le plus beau jour de sa vie fut celui où, pour son onzième anniversaire, son grand-père lui fit cadeau d'un poulain *quarter-horse*. Les premières semaines, il fallait, à la lettre, la traîner de force hors de l'écurie à l'heure des repas ; elle y dormit même pendant une semaine entière quand Pablo – c'était le nom de l'animal – eut des coliques qui firent craindre pour sa vie. Plus tard, lorsqu'il fut en âge d'être monté, Laurence et lui s'inscrivirent à une école d'équitation et participèrent à quelques compétitions régionales de dressage et de saut d'obstacles. Anne-Sophie accompagnait bien sûr son amie à Saint-Sévère. Elle aimait brosser et étriller les chevaux, leur peigner la queue et la crinière, leur faire des tresses, etc. Elle aimait surtout, en automne, remplir ses poches des pommes tombées des nombreux pommiers sauvages qui poussaient aux alentours, et les distribuer ensuite dans les mangeoires, sous les reniflements reconnaissants des bêtes. Par contre, après quelques tentatives, elle décida que l'équitation n'était pas pour elle. L'affection qu'elle éprouvait pour les chevaux lorsqu'elle les côtoyait dans le champ ou à l'écurie se muait rapidement en antipathie dans le cadre d'une relation monture-cavalier. Pourquoi ne pas simplement aller se promener en forêt par ses propres moyens ? Pourquoi vouloir mettre entre soi et le sol cette créature nerveuse et capricieuse, prête à partir au grand galop à la moindre perdrix qui lève ? « Le cheval sent ta nervosité, Anne-So, si t'es en confiance, il va se sentir en confiance. » Ouais, possible. Quand Laurence partait en promenade, elle l'attendait en placotant avec Huguette – la grand-mère de Lo – ou en lisant sous le grand érable dans la cour. La lecture demeurait son occupation favorite. En sixième, alors que les plus avancées parmi ses petites camarades lisaient les romans de la collection « Frisson » ou les aventures du « Club des babysitters », elle était plongée dans *L'écume des jours* et s'était déjà, on s'en souvient, cassé les dents sur *Des monstres dans une goutte d'eau,* l'imbuvable chef-d'œuvre de son aïeul. Pour ses comptes-rendus scolaires, elle se rabattait sur *Quatre filles et un jean* afin d'éviter de se singulariser, mais cela ne lui apportait à peu près aucun plaisir. Selon les critères ordinaires, Laurence pouvait passer pour une bonne lectrice. Si elle ne lisait pas de mauvais livres, elle n'était par contre pas du genre à sortir des sentiers battus. Elle lisait les bons livres que tout le monde lisait. Le jour où Anne-Sophie avait tenté de lui faire avaler Proust, elle l'avait appelée au bout de dix pages pour lui demander si « ça devenait meilleur que ça à un moment donné ». Réponse d'Anne-Sophie : « Comment peux-tu concevoir meilleur que ça ! »

Laurence découvrirait la musique en fouillant dans les disques de son grand frère Sébastien et, en 3ᵉ secondaire, elle passerait une année entière à écouter en boucle *OK Computer,* avant d'opérer un virage à 180° sous l'influence d'Étienne Bourbeau et de devenir une sommité dans le domaine du punk rock. Anne-Sophie, de son côté, ferait son initiation en pillant la collection de son oncle Alexandre et, jusqu'au cégep, ne jurerait que par les groupes alternatifs des années quatre-vingt, The Cure, Siouxie and the Banshees et les Sugarcubes. Laurence adorait les films d'horreur dans lesquels un tueur dément assassine, pour des motifs flous, des dizaines de campeurs lubriques, avant de se faire tuer lui-même et de ressusciter à temps pour le prochain épisode. Anne-Sophie ne se lassait pas des comédies grossières où il est question de mucus et de déjections. (Si *La cloche et l'idiot* passait ce soir à la télé, elle avoue sans honte qu'elle laisserait tout en plan pour le voir une trentième fois.) Leurs goûts différaient également du tout au tout en matière de garçon. Anne-Sophie ne comprend toujours pas comment Laurence a pu sortir trois ans avec Étienne Bourbeau, ce grand échalas regardant de haut quiconque ne connaissait point les noms et biographies de chacun des membres des New York Dolls et considérant l'usage du savon comme une grave compromission. Et puis, hein, c'était bien la peine de se graver des symboles d'anarchie à l'Exacto sur l'avant-bras si c'était, au bout du compte, pour prendre la relève de son père et vendre des Hyundai sur le boulevard des Hêtres. Laurence, pour sa part, ne concevait pas qu'on pût s'éprendre de Félix Lyonnais, qu'elle ne se gênait pas pour traiter, tenez-vous bien, de « petit poseur ». Bien que ce fût la stricte vérité – comment qualifier autrement un type qui lit Kierkegaard en pleine salle 028 ? –, Anne-Sophie fut scandalisée d'entendre, dans la bouche de son amie, pareille épithète associée au nom de celui qu'elle considérait comme le pinacle de la création. Pour ce qui est de Nicolas Paquin, Laurence admettait, à la rigueur, qu'il avait « un petit quelque chose », mais sans plus.

France apprécia tout de suite la nouvelle amie de sa fille. Cependant, le caractère excessif de cette amitié l'inquiétait un peu. Anne-Sophie ne commençait plus jamais une phrase par « je », c'était toujours « on ». Par exemple, à la fin du primaire, quand vint le temps de choisir une école secondaire, France et Louis lui proposèrent de l'emmener aux journées portes ouvertes de Du Rocher, du Séminaire et de Monfort, de manière à ce qu'elle puisse prendre une décision éclairée. On ne visiterait Monfort que par acquit de conscience, Anne-So n'étant pas très portée sur le sport, mais France espérait secrètement qu'elle choisisse le Séminaire, où son frère avait étudié mais pas elle, car à l'époque on n'y admettait point les filles. « Non, pas besoin d'aller aux journées portes ouvertes. On va aller à la poly.

– Qui ça, « on » ?

– Bin, Lo pis moi, c't'affaire !

170

– T'sais, mon amour, c'est pas grave si toi pis Laurence vous allez pas à la même école. Vous allez rester amies quand même. »

Cela eût été grave, au contraire, d'avoir à affronter cela toute seule. Elle doutait que la différence entre la sixième année et la 1re secondaire fût aussi importante que Suzanne (la maîtresse de sixième) le prétendait – il y avait belle lurette qu'elle avait cessé de prendre pour argent comptant ce que racontaient les maîtresses –, mais tout de même elle se sentirait mieux avec son amie à ses côtés. Elles auraient pu opter toutes deux pour le Séminaire, auquel Josée donnait également la préférence, seulement il était situé à Shawinigan et Lo avait mal au cœur en autobus. C'était là l'unique raison, mais Anne-Sophie se garda bien de la révéler quand France lui demanda ce qu'elle avait contre le Séminaire. Mononcle Alex, qui assistait à la discussion, intervint en faveur de sa nièce, faisant remarquer que lui-même, bien qu'ayant fréquenté la vénérable institution, n'en était pas moins un « hostie de loser », tandis que sa petite sœur chérie, qui avait fait l'école publique, pouvait faire suivre son nom de « docteur ».

Les menaces de Suzanne n'étaient, comme on pouvait s'y attendre, que du vent. « Au secondaire, il va falloir que vous preniez vos responsabilités, disait-elle, fini le temps où on vous tenait par la main pour vous faire faire vos devoirs. Vous allez être traités comme des adultes. » Eh bien non : à Du Rocher comme à Laflèche, la plupart des enseignants s'adressent à vous comme si vous étiez de parfaits crétins, ce qui est profondément injuste pour les deux ou trois éléments du groupe à ne l'être point. « J'en connais ici qui étudient jamais pis qui ont des bonnes notes quand même, mais ils vont frapper un mur au secondaire. Si vous étudiez pas *au moins* une heure par soir, vous allez échouer, c'est pas compliqué. » Anne-Sophie et Laurence se firent un point d'honneur de ne jamais toucher un manuel scolaire en dehors des heures ouvrables, et n'en terminèrent pas moins dans le premier cinquième de leur promotion. « Là, vous êtes habitués de vous faire répéter cent fois la même affaire, mais vous allez voir : au secondaire, c'est pas pareil. Vous avez intérêt à écouter parce que le professeur répète pas. » Pourtant, la puberté serait déjà un lointain souvenir qu'on en serait encore à colorier la Nouvelle-Écosse en jaune et le Nouveau-Brunswick en bleu, et à tenter de déterminer le sujet dans la phrase : « Jeanne mange une pomme. »

Il y avait bien quelques différences entre la petite école et la grande, de nouveaux usages (les casiers, la cafétéria), de nouveaux visages (ceux de Saint-Louis-de-Gonzague, de Sainte-Marie et de Dominique-Savio), mais pour l'essentiel c'était toujours l'école. On s'assoit à un pupitre et on écoute ce que le monsieur ou la madame en avant raconte, tout en feuilletant discrètement son agenda neuf, lisant d'avance toutes les pensées du jour, surlignant au marqueur jaune les journées pédagogiques, biffant la journée en cours en se disant qu'il n'en reste plus que deux cent neuf (bon, deux cent neuf et demie) avant les vacances. Le plus grand avantage du secondaire sur le primaire consistait, selon Anne-Sophie, dans la division de la journée en périodes. À première vue, quitter un cours de français dispensé par Louise Giguère pour un cours d'anglais de Margaret Loranger n'est qu'une illustration de l'expression « tomber de Charybde en Scylla », mais pour Anne-Sophie il s'agissait plutôt de « changer le mal de place. » Et puis, à la petite école, si la tête d'un prof ne vous revenait pas (ou pire : si votre tête ne revenait pas à un prof), votre calvaire durait toute l'année, tandis qu'avec ce système cela limitait les dégâts à huit heures par semaine au maximum. De plus, si un professeur partait dans une envolée oratoire d'un intérêt discutable, le timbre annonçant la fin du cours (le thème de Big Ben, version synthétiseur) finissait par lui couper le sifflet. Ce qui lui déplaisait, par contre, c'était l'attitude de certaines de ses camarades de Laflèche qui, sous prétexte qu'elles étaient maintenant au secondaire, se croyaient obligées d'adopter des poses. Ainsi Gabrielle Laforme, qu'on n'avait jamais vue qu'en jupe à carreaux et avec des rubans dans ses cheveux, se dessinait maintenant une ligne noire sous les yeux et se vêtait de manière à ce que ses bretelles de soutien-gorge fussent visibles en tout temps. Laurence, qui ne put s'empêcher de lui rappeler, devant une assemblée nombreuse, ses exploits récents à la corde à danser, ne fut pardonnée que vers la fin du cégep.

Anne-Sophie regretta presque de n'avoir point jeté son dévolu sur le Séminaire quand elle constata, après la première semaine de cours, qu'elle aurait du mal à voler sous le radar des professeurs. Il faut dire que sa famille tenait le haut du pavé à Du Rocher. Au moment où Anne-Sophie y faisait son entrée, les jumeaux entamaient leur dernière année et avaient eu le temps de laisser leur marque. Stéphanie, qui était engagée dans à peu près toutes les activités parascolaires, partageant son temps entre le Magoshan, le local de la radio et différents comités, serait bientôt élue présidente de l'école, après avoir occupé la fonction de trésorière l'année précédente. Émile, pour sa part, était l'un des principaux responsables de la suprématie des Pionniers, l'équipe de basket-ball, au cours des dernières années. Des photos de lui en action, prises lors de la finale de 1996, ornaient les murs du hall menant au centre sportif, et la bannière soulignant cette victoire sur l'ennemi héréditaire (Val-Mauricie) pendait au plafond du gymnase. Dans un film d'ados américain traduit en France, Stéphanie aurait sans doute été « la nana la plus populaire du lycée » et Émile, « le capitaine de l'équipe de foot ». Dès la première période de l'année, au moment de prendre les présences, le prof s'était arrêté à son nom, avait levé les yeux puis, à la vue de ses cheveux blonds et de ses yeux bleus, s'était exclamé : « Ah ! La p'tite sœur des deux autres… j'espère que t'es la dernière de la famille, sinon il va y avoir une épidémie de burn-out ici ! » La scène s'était répétée avec tous les enseignants – et se répéterait les années suivantes – avec de légères variantes selon le niveau d'humour de chacun.

À Du Rocher, les classes de la 1re secondaire occupent un bâtiment à part, relié au reste de l'école par un long corridor qu'on ne franchit que pour se rendre au centre sportif, à la bibliothèque ou à la cafétéria. Dès qu'Anne-Sophie quittait le « côté des 1 » pour l'une ou l'autre de ces destinations, elle devenait aussitôt « la sœur d'Émile » et faisait l'objet de maintes prévenances de la part des caudataires de ce dernier, surtout de Geneviève Bordeleau, amoureuse d'Émile depuis la 2e secondaire et désireuse de se ménager des appuis dans la famille. Elle s'élançait à sa rencontre chaque fois qu'elle la voyait traverser la salle 028 et la soumettait à un interrogatoire serré sur les récents faits et gestes de l'élu de son cœur. « Ton frère était-tu chez vous hier soir ? Il m'avait dit qu'il allait faire des devoirs chez J-F, mais j'ai appelé chez J-F : il était pas là. » Anne-Sophie faisait alors de son mieux pour couvrir Émile, déployant des trésors d'imagination pour éviter que ne s'effondre l'échafaudage de menteries que ce dernier avait construit afin d'échapper aux avances de Miss Bordeleau.

« Tu pourrais juste lui dire que t'es pas intéressé.

– J'ai commencé par là, inquiète-toi pas.

– Bin tu pourrais sortir avec, ça serait moins compliqué.

– Je veux pas sortir avec.

– Pourquoi ? Est belle, me semble.

– Tu trouves ? »

Évidemment, à cette époque, elle ne pouvait se douter de la véritable raison de cette indifférence. Émile lui-même commençait à peine à la subodorer et ne sortirait véritablement du placard que cinq ans plus tard. Pour l'instant, Geneviève s'imaginait qu'il s'intéressait à toutes les filles sauf elle, ce qui mettait son estime de soi à rude épreuve. Anne-Sophie – qui ne perdait rien pour attendre – ne comprenait pas qu'on s'empoisonne ainsi la vie pour un garçon. Elle admettait, en théorie, qu'on puisse tomber amoureuse, mais elle estimait qu'il fallait manquer de fierté pour le demeurer après avoir été repoussée une première fois. Et puis tomber amoureuse d'un garçon de l'école ! Avoir pour rivale quelque chose comme Amélie Lapointe ! C'était d'un vulgaire ! Elle avait lu quelque part que Robert Smith avait composé *Love Song* pour l'offrir en cadeau de mariage à sa femme Mary. «Elle semblait contente, mais elle aurait sans doute préféré des diamants», avait-il modestement commenté. Contente ? Robert Smith vous déclarant que : « *Whenever I'm alone with you, you make me feel like I am young again* », dans une chanson que des millions de personnes écouteraient, il fallait être difficile en diable pour que cela ne vous transporte pas au septième ciel. Mais bon, puisque Bob était marié et semblait heureux en ménage avec cette Mary qui, à première vue, n'avait pourtant rien d'extraordinaire, elle accepterait, à la rigueur, de se rabattre sur Simon Gallup ou, au pire, sur le chanteur de Joy Division, mais rien en bas de ça. En ce qui concernait Laurence, c'était River Phoenix ou rien, mais comme sa mort remontait déjà à quatre ans, leur relation n'était pas promise à un grand avenir. Cela n'avait toutefois rien de dramatique : on resterait vieille fille, voilà tout.

Les garçons s'intéressèrent à Anne-Sophie longtemps avant qu'elle ne leur rende la politesse. Elle reçut sa première déclaration en cinquième année, quand Raphaël Prévost, à qui elle n'avait à peu près jamais adressé la parole, mandata Léa Corriveau pour aller lui demander si elle voulait « sortir avec lui », pendant qu'il attendait la réponse près des buttes de neige. « Raphaël demande si tu veux sortir avec.

   – Pourquoi ?

   – Je le sais-tu ? Il veut que tu sois sa blonde.

   – ...

   – Pis ?

   – Pis quoi ?

   – Bin qu'est-ce que j'i' dis ?

   – Rien.

   – Bin s'il me demande ce que t'as répondu, je dis quoi ?

   – Bin, rien. »

« Rien » fut également la réponse qu'elle servit aux autres qui tentèrent leur chance par la suite. Son expérience des affres de l'amour se limitait aux marquises qui, dans les romans de Laclos ou de Crébillon fils, se « tordaient les mains de douleur » ou « tombaient dans les langueurs », après que le chevalier de M*** ou le vicomte de G*** les eussent trahies. Elle estimait que tout cela n'était que convention, que cela faisait partie des règles du genre, comme les animaux qui parlent dans les livres pour enfants ou les voyages dans le temps dans les romans de science-fiction, que la scène de la dame s'évanouissant dans son boudoir pendant que sa femme de chambre tente de la réanimer en lui faisant respirer des sels était une figure obligée du roman sentimental comme le duel au soleil couchant dans un western. Bref, avant de se buter elle-même au « rien » de Félix Lyonnais, et de sentir ce « rien » s'enfoncer dans son ventre comme un pal d'acier froid, elle ne croyait pas vraiment à la réalité des douleurs causées par l'amour, aussi n'avait-elle aucun scrupule à traiter ses prétendants avec désinvolture.

Le jour où il devint évident qu'elle ne comptait pour rien aux yeux de Félix, où elle dut admettre qu'il voyait carrément à travers elle quand par hasard il regardait dans sa direction, ce jour-là elle repensa à tous ses prétendants éconduits. Avaient-ils souffert comme elle souffrait ? Était-il possible qu'elle ait été la source de tant de tourments ? Ce William Ricard qui, pendant presque un an, l'avait attendue chaque matin au coin de la Huitième, faisant mine de la rencontrer par hasard – son jeu d'acteur présentant toutefois de sérieuses lacunes – pour parcourir la dernière portion du trajet en sa compagnie, avait-il eu envie de mourir le jour où il s'était rendu compte qu'elle faisait un détour pour l'éviter, parce qu'elle préférait marcher seule plutôt qu'en sa compagnie ? Avait-il ressenti l'envie de prendre par le collet ses amis et les membres de sa famille et de leur crier : « Pourquoi m'aimez-vous ? Personne ne devrait m'aimer puisque Anne-Sophie ne m'aime pas ! Vous êtes idiots ou quoi ! » Avait-il éprouvé l'étouffante certitude qu'il ne connaîtrait plus jamais un jour de bonheur sur cette terre ? Et Pascal Duplessis, le cousin de Cam, qui la regardait sans arrêt dans le cours de musique et qui avait ourdi une ingénieuse machination pour se retrouver seul en sa compagnie lors d'un « party » chez Cam, qu'avait-il pensé quand elle s'était défilée sans même se donner la peine d'inventer un prétexte plausible ? Avait-il, lui aussi, considéré cet univers comme une vaste plaisanterie ? Avait-il, le soir avant de s'endormir, supplié un dieu auquel il ne croyait pas de *tout* annuler, ou à défaut de l'annuler, lui, Pascal Duplessis ? Quelqu'un était-il déjà passé devant un banc de parc sur lequel était gravé « Stéphane aime Nathalie » en songeant : « C'est absurde, comment peut-on aimer une Nathalie quand Anne-Sophie Bonenfant existe ? »

Car elle en était arrivée à ce point avec Félix, au point de ne pas comprendre ce que quiconque pouvait trouver à quiconque n'était pas Félix Lyonnais. Au point de traiter les grands auteurs par-dessous la jambe, blâmant sévèrement le caractère peu plausible de leurs œuvres. Pourquoi, par exemple, cette gourde d'Anna Karénine était-elle allée se jeter sous un train pour ce Vronski, alors que Vronski n'était point Félix Lyonnais ? Et cette Juliette alors ! Avaler du poison pour un garçon qui n'était pas Félix Lyonnais. Il fallait vraiment aimer le goût du poison. Pourquoi Ariane s'était-elle donné la peine de quitter Deume pour Solal, alors que ni Deume ni Solal n'étaient Félix Lyonnais ? Et George Sand, qu'avait-elle à s'exciter tant que ça le poil des jambes ? Musset, pas plus que Chopin, n'était Félix Lyonnais. À quoi bon alors salir tant de papier à leur sujet ? Si on regardait les choses dans une perspective plus globale, le fait que l'humanité ait perduré jusqu'à ce jour signifiait que des millions de femmes, à travers les époques, avaient accepté de faire l'amour avec des millions d'hommes qui n'étaient point Félix Lyonnais, ce qui était absolument dégoûtant. Après avoir franchi les deux premières années du secondaire sans qu'aucun garçon arrive à lui infliger la plus petite éraflure au cœur, après avoir dépassé le cap de la puberté sans que son hétérosexualité fût autrement que théorique, elle en était inconsciemment arrivée à croire que, de deux choses l'une, ou bien l'amour n'était que du pipeau, un machin inventé par les bonzes de Hollywood pour vendre des billets et du popcorn, ou bien elle était simplement immunisée contre ses effets. Puis survint Félix Lyonnais.

Cela avait pourtant commencé tout doucement. Elle l'avait remarqué dans la salle des cases, la première semaine, l'avait trouvé beau, allant même jusqu'à s'informer de son identité (« C'est qui le nouveau ? »). Pour ce qu'on en savait, il s'appelait Félix, était en 4e secondaire et avait fait ses trois premières années à Paul-Lejeune, à Saint-Tite, d'où on l'avait expulsé pour des raisons disciplinaires. Du moins c'est ce qu'il racontait quand on lui posait la question mais, comme pour tout ce qui le concernait, la vérité était plus prosaïque : à la suite du divorce de ses parents, sa mère vint s'installer à Grand-Mère et l'inscrivit à l'école locale. Avec ses cheveux ébouriffés et son air un peu perdu, il ressemblait beaucoup à Arthur Rimbaud sur la photo dans le salon de matante Caroline. Il passait ses midis seul, à lire dans un coin de la salle 028, assis à la turque sur le rebord d'une fenêtre, ne se levant qu'au timbre, sans quitter son livre des yeux, continuant à lire en marchant jusqu'à son local. Il portait des jeans douteux et un gros chandail de laine tellement fatigué qu'il devait être dans la famille depuis trois générations. Son sac en bandoulière kaki s'ornait de badges à la gloire de groupes qu'Anne-Sophie ne connaissait pas et d'un autocollant proclamant : « Lire rend snob. » Chacun de ses gestes disait son indifférence absolue à l'égard de la création entière.

On a beau s'appeler Anne-Sophie Bonenfant et être plus futée que la moyenne des ours, il n'en demeure pas moins qu'on est toujours un peu nono à quatorze ans. On admet comme une chose naturelle que si quelqu'un regarde autrui de haut, c'est qu'il est forcément au-dessus d'autrui. On s'imagine que le fait de porter un pull troué et des t-shirts défraîchis est le signe incontestable d'un esprit supérieur. Félix, qui chaque matin consacrait plus de temps que la dernière des cocottes à s'arranger de manière à passer pour le gars qui partait de chez lui sans s'arranger, savait qu'il n'en fallait pas plus pour qu'on lui suppose une personnalité hors du commun, qu'on lui prête tout le génie du monde. Il faisait partie de cette catégorie de gens possédant tout juste assez de cervelle pour simuler l'intelligence, en sachant tout juste assez pour qu'on les croie cultivés. À Saint-Tite, où ses compagnons de classe le côtoyaient depuis la maternelle, où tout le monde l'avait connu dans sa période « petit gros », il n'en imposait à personne, ne devenant génial qu'en soirée, sur les quelques channels d'IRC où il sévissait sous le nom de Bukowski. Il comptait bien profiter de ce déménagement pour enfin tenir le rôle qu'il rêvait de jouer, pour revendiquer la personnalité qu'on lui refusait dans ce bled miteux où la moitié de l'année se passait à parler du dernier festival western, et l'autre moitié à attendre le prochain. Bref, il avait seize ans et il se cherchait, rien de plus normal. Si Anne-Sophie avait pu voir derrière son masque à ce moment-là, elle n'aurait éprouvé à son endroit qu'une sympathie amusée au lieu de ce sentiment immense, violent, de cette chose monstrueuse qui avait grandi en elle et à laquelle il fallait tout de même donner un nom gentil (engouement, béguin), les noms graves étant réservés aux amours des grandes personnes. Mais tout ce qu'elle sait maintenant au sujet de Félix, elle ne l'apprit que huit ans plus tard, quand elle le rencontra par hasard dans la rue, à Montréal, où il vivait depuis quelques années, marié, père de famille et traversant une nouvelle phase « petit gros », sans doute définitive celle-là. Pendant toute l'heure qu'ils avaient alors passée à placoter, les yeux de Félix n'avaient cessé d'exprimer, de la manière la moins ambiguë, cette douloureuse pensée : « Dieu tout-puissant ! Cette fille-là était amoureuse de moi et j'ai levé le nez dessus ! Est-il réellement possible d'être aussi con ? »

Ça l'était. Encore qu'on ne puisse pas vraiment dire qu'il levait le nez sur Anne-Sophie, car il eût fallu pour cela qu'il s'avisât de son existence. Mais il se trouvait que, au moment même où il était le centre de l'univers aux yeux d'Anne-So, son propre univers gravitait autour de Marie-Christine Gignac. Au début, il avait soigné son look et son attitude pour le simple plaisir de personnifier Mister Cool aux yeux de ses nouveaux camarades, essayant ses forces, cherchant à impressionner tout le monde à la fois et personne en particulier. Il laissait traîner avec ostentation *Le crépuscule des idoles* ou *De l'inconvénient d'être né* sur son pupitre, sachant que cela serait perdu pour à peu près tout le monde mais, en véritable artiste (ou poseur, si on veut parler comme Lo), il ne s'arrêtait pas à ça. Il était d'ailleurs conscient de produire son petit effet, même chez les filles peu frottées de philosophie. Cependant, à la fin du premier mois passé à Du Rocher, il constata avec agacement qu'il cherchait à faire impression sur quelqu'un en particulier : Marie-Christine. D'où venait cela ? Comment cette fille pas si belle et un peu vulgaire, avec ses cheveux rouges, son piercing dans la langue et ses dessins au henné sur les chevilles et sur les bras en était-elle venue à faire en sorte qu'il ne trouvait plus aucun plaisir à faire son numéro lorsqu'elle n'était pas dans la pièce ? Peut-être aurait-il pu dénicher des réponses à cette angoissante question dans Nietzsche ou Cioran, si l'idée lui était venue de consulter ses accessoires de théâtre. Mais Félix était un pragmatique : plutôt que de se mettre martel en tête, il s'inclina devant le fait accompli. Il en pinçait pour Marie-Christine Gignac ? Soit, ne restait maintenant qu'à la conquérir.

Il fallut davantage de temps pour que la même résolution germe dans l'esprit d'Anne-Sophie, après qu'elle eut rendu les armes. Moins pragmatique, goûtant l'amour pour la première fois, elle ne sentait pas le besoin de se presser. À quoi bon précipiter les choses puisque de toute façon Félix et elle allaient vieillir ensemble ? Elle ne croyait pas au destin d'une manière générale, mais là on se trouvait clairement en présence d'une exception, hein ? Il fallait disposer d'un fonds inépuisable de mauvaise foi pour ne pas voir qu'ils étaient faits l'un pour l'autre. Comment le savait-elle puisqu'elle ne lui avait jamais adressé la parole ? Elle le savait, c'est tout, et puis d'ailleurs la réputation de la parole n'était-elle pas un brin surfaite ? On pouvait passer des heures à papoter avec une personne sans vraiment établir de contact, on pouvait parler à s'en soûler avec quelqu'un chaque jour que Dieu fait, pendant des années, pour – cela s'était vu – se réveiller un beau matin et se demander : « Qui ai-je épousé ? Qui est ce type dans mon lit ? »

Elle prenait son temps, donc, se délectant de son amour, en appréciant chaque instant, s'amusant de sentir son cœur battre plus vite à mesure qu'approchait la fin du deuxième cours de l'avant-midi, subissant de bon gré la montée de cette petite excitation douloureuse à l'idée de l'apercevoir dans la salle des cases. Mais peut-être n'y serait-il pas ? Il était bien capable, cet adorable benêt, d'avoir pris ses livres pour les trois cours, rien que pour s'éviter la peine d'un voyage aux cases à la récré. Elle le lui reprocherait plus tard, entre deux baisers, lui dirait combien il avait été cruel alors ; il se défendrait mollement, proférerait des choses absurdes comme : « Maintenant que t'es prise avec moi pour de bon, tu vas finir par regretter l'époque où tu me voyais juste cinq minutes par jour. » Il n'aurait pas le temps d'en dire plus : il ne se passerait jamais beaucoup de temps entre deux baisers.

Elle connaissait son horaire grâce à Sam, qui était dans la plupart de ses cours. Elle qui n'ouvrait jamais ses propres livres de classe, elle se plongeait dans ceux de sa cousine pour suivre le cheminement scolaire de Félix. Elle pouvait ainsi savoir, période par période, dans quel local il se trouvait et quelle fadaise on lui débitait. « Jour 5, premier cours de l'après-midi : anglais avec Claude Godin, le local au bout du corridor, au troisième, avec vue sur le terrain de soccer. Doivent être encore dans les verbes irréguliers... *drink, drank... sink, sank... ring, rang...* » Elle complétait ses informations en interrogeant Sam : Avait-il une place de prédilection ou bien prenait-il le premier pupitre libre ? Quelle était son attitude : simulait-il l'intérêt pour se faire oublier ? semblait-il perdu dans ses pensées ? regardait-il par la fenêtre ? Et sa posture : se tenait-il droit sur sa chaise ? évaché ? Cela jusqu'à ce que Sam la supplie de la laisser tranquille (« Arrête, Anne-So, t'es lourde, là, t'es lourde ! ») ou se bouche carrément les oreilles en chantant.

Au cours des vacances d'été entre la sixième année et la 1re secondaire, matante Caro avait loué un chalet tout près de celui de ses parents, à Saint-Mathieu, et Anne-Sophie avait alors eu l'occasion de vraiment faire connaissance avec ses cousins de Québec. Depuis, elle et Frédérique entretenaient une correspondance qui eût constitué une source de renseignements précieux pour cette biographie si elle avait été conservée. Malheureusement, on était alors dans les débuts de la démocratisation d'Internet, et ces lettres, écrites sur support virtuel, furent presque toutes perdues au moment où Frédérique, outrée que quatre-vingt-dix-neuf pour cent des messages qu'elle recevait lui proposassent d'agrandir son pénis, quitta Hotmail pour un fournisseur privé. Son excuse, légitime il faut l'admettre, consiste en ce qu'elle n'avait point prévu que sa cousine ferait un jour l'objet d'une biographie. Des quelques centaines de mails qu'elles échangèrent pendant leur adolescence, un grand total de onze nous sont parvenus. Il arrivait en effet que Frédérique ne lise pas immédiatement la dernière lettre d'Anne-Sophie, mais l'imprime en prévision d'un cours plate. C'est en fouillant dans ses vieux cartables que Frédérique a exhumé les onze missives susmentionnées. L'une d'elles, datée du 15 octobre 1999, révèle une Anne-Sophie déjà très éprise mais prenant encore les choses avec humour. Quoiqu'elle ne parle de Félix qu'en passant, je me permets de reproduire le document dans son entier, car il s'agit de l'un des rares échantillons de la prose d'Anne-Sophie datant de cette époque.

Dear Fred,

Non, voici plutôt comment nous devrions nous y prendre. Émile a un tournoi à Ste-Foy dans deux week-ends d'ici, ça ne sera rien pour lui de passer chez vous et de se charger de la commission. Et puis de toute façon il avait sans doute prévu voir Phil, alors hein. Bon, ça me fait un peu long à attendre mais c'est la solution la plus sage : va savoir combien M. le facteur irait t'extorquer pour transporter un colis de cette taille depuis Sillery jusque dans le Domaine[1]. Je sais que tu ne roules pas sur l'or malgré ta position avantageuse dans le business de la distribution de circulaires. (En passant : est-ce que toi et tes collègues tenez parfois compte des stickers « Pas de publi-sac » ? Le nôtre a un effet absolument nul.)

Pour ce qui est des affaires courantes, je suis toujours plongée dans le *Journal* de Miss Stephen[2]. Tout ça donne envie d'aller se promener dans Kensington Garden, de s'arrêter pour prendre du thé et des scones dans un ABC, de saluer au passage M. Henry James et de sacrifier six pence de sa fortune pour rentrer en omnibus parce qu'on est lasse de marcher. À défaut, je suis allée, hier, me promener dans la Sixième et me suis arrêtée chez Auger pour m'empiffrer d'un Michigan et d'une rondelle d'oignon (tout ça rincé par un gros Pepsi). Je suis au regret d'annoncer que je n'y ai point rencontré Henry James, ni personne d'approchant, pas même Aurore Descôteaux[3], et que je suis rentrée par mes propres moyens, aucun omnibus n'étant en vue à ce moment, et tiens, je crois bien que je vais te narrer les circonstances de l'expédition, n'ayant rien de mieux à narrer anyway, les choses en étant toujours au même point entre F.L. et moi, i.e. à aucun point du tout. Ainsi donc, ce samedi après-midi, j'étais chez moi à m'embêter comme un rat crevé en l'absence de ma bien-aimée, laquelle assistait à une compétition équestre à Bromont. Arriva Sam (qui ne raffole plus

---

1. Aucune des deux n'est aujourd'hui en mesure de se rappeler en quoi consistait ce colis.
2. Virginia Woolf.
3. Auteure grand-méroise, connue surtout pour avoir écrit les textes du téléroman *Entre chien et loup,* diffusé sur les ondes de TVA dans les années quatre-vingt-dix.

guère de ce diminutif depuis que Jérémie a cru, pendant un mois entier, qu'elle s'appelait Samantha. J'ai eu beau lui faire valoir que s'il l'avait aimée en la croyant une Samantha, c'était là une preuve de la solidité de son sentiment, elle tient tout de même à ce qu'on se donne la peine d'aller jusqu'au bout de son nom), arrive Sam, donc, flanquée de Laure (son amie qui rit mal, tu la connais, je pense) et d'Élisabeth (que tu ne connais pas, elle est nouvelle). On s'installe dans la cour et on commence à placoter. Un peu plus tard arrive Marie[4], accompagnée de quatre ou cinq potes, dont un certain Christophe qui la convoite ouvertement, affichant sans vergogne son intention d'en faire sa blonde. (Avait-on ce genre d'idées, nous, à neuf ans ? Pas que je me souvienne.) Heureusement pour ma petite sœur que le *Herald*[5] a temporairement suspendu ses activités, ça serait du bonbon pour la chronique mondaine, ce début de roman. Bref, vers cinq heures, nous étions une dizaine de kidz dans la cour et cela ne faisait que médiocrement plaisir à mes parents, qui recevaient ce soir-là et qui craignaient d'avoir à nourrir tout ce beau monde au milieu de leurs importants préparatifs. Ton oncle Louis, rusé comme un petit singe, conçut alors un stratagème pour s'éviter cette corvée et, du coup, nous éloigner de la propriété pour un temps : il commença par nous demander si cela nous plairait d'aller nous sustenter de junk chez Auger et, devant notre acquiescement enthousiaste, il sortit de son portefeuille une somme mirobolante qu'il nous remit avec un tonitruant «Bon appétit !» qui sonnait étrangement comme «Bon débarras !» Après quelques appels pour obtenir les autorisations des parents, nous mettons le cap sur Auger, nous arrêtant au passage pour prendre Val. Inutile de préciser que les petits amis de ma sœur ne tarissaient point d'éloge sur ton oncle. «Yé cool en criss, ton père, Marie !» (Avions-nous

---

4. Marie-Ève.
5. Le *Saint-Mathieu-du-Parc Herald,* journal fondé par Anne-Sophie et Frédérique au cours de l'été 1998. Tiré à quinze exemplaires et destiné à la famille et aux proches, il paraissait de manière sporadique pendant les vacances d'été et des fêtes. Presque entièrement rédigé par les deux fondatrices (et illustré par Laurence), il ouvrait parfois ses pages à des collaborateurs occasionnels.

l'impudence de sacrer, nous, à neuf ans ? Pas que je me souvienne.) Comme c'est Samantha (note à moi-même : refuser désormais de l'appeler autrement) qui, en tant qu'aînée, s'était vu confier les responsabilités de gérer le budget et de veiller sur les petits, moi je n'avais qu'à bâfrer et à profiter du moment. Ça lui apprendra à naître avant les autres juste pour faire son intéressante. À notre retour, message pour moi : ma dulcinée revenue de Bromont, déjà en route vers chez nous. Retrouvailles émouvantes après ces trente-deux heures de séparation. Étreintes, embrassades. Me raconte dans le détail sa compétition équestre, me décrit avec animation les exploits d'un certain Rocket Cue III. Moi, tellement heureuse de la voir que j'applique la méthode Actor Studio pour simuler un grand intérêt ; elle, tellement heureuse de me voir qu'elle fait mine d'y croire.

Dimanche : rien à signaler, c'était dimanche, quoi, avec tout ce que ça implique de mauvaise température et de spleen irrationnel. Les gars de la météo prétendent que depuis qu'on compile les données on ne remarque aucune différence entre les journées quant aux heures d'ensoleillement. Je rétorque : enfermez-moi dans un souterrain jusqu'à ce que je perde la notion du temps, en sortant je vais savoir si on est dimanche juste à sentir le fond de l'air et à étudier la couleur du ciel. Bref, on n'a rien fait en ce dimanche dont on va se souvenir le matin de nos noces. On a flâné en pyjama longtemps et, vers une heure, Josée a appelé dans le but de nous réquisitionner pour des tâches ménagères.

Mais tu penses bien que je gardais le meilleur pour la fin. Voici donc le meilleur : comme je te le disais plus haut je n'ai toujours pas échangé une parole avec F.L., mais cela ne saurait tarder. Voici pourquoi : Sam, sur mes instances, a lié connaissance avec lui. N'était pas chaude au début, disait qu'il avait l'air bête, mais l'a trouvé tout à fait parlable finalement. A manifesté l'intention d'orner de sa présence nos futures orgies sur les terres de notre aïeul[6].

---

6. Derrière la maison du docteur Labelle, boulevard Saint-Onge, il y avait un grand terrain vague au bout duquel, tout juste à l'orée de la forêt, se trouvait une grande cabane en bois rond qui servait jadis de relais aux motoneigistes. Pendant leur secondaire, Émile et Stéphanie avaient coutume de s'y réunir

Ce n'est donc qu'une question de temps avant que nous soyons présentés en bonne et due forme. À partir de là, c'est tout bénéfice pour une potineuse de ton calibre. S'il me bat froid, tu te tiens prête avec ta petite cuiller et ta philosophie de circonstance («Un de perdu», etc.) ; s'il daigne, au contraire, agréer mes hommages, tu auras alors droit au récit, heure par heure, de notre relation, depuis notre premier baiser jusqu'à notre hypothèque conjointe. Dans un cas comme dans l'autre, ça nous fera du grain à moudre pour un bout. Pendant qu'on est dans le sujet : dans ton dernier mail tu ne disais pas un mot au sujet du beau Carl, mais j'imagine que pas de nouvelles, bonnes nouvelles.

Bon, en tout cas, faut que je te lâche : il y a Steph qui a besoin de l'ordi pour des raisons scolaires, ce qui, selon les règles familiales, prime. C'est dire si on a les valeurs aux mauvaises places. Write back ASAP !

Truly yours,

Phie

Si monsieur Lyonnais s'était montré « tout à fait parlable » à l'égard de la cousine d'Anne-Sophie, c'est qu'il voyait en elle une relation utile. En effet, bien qu'elle ne figurât point tout à fait parmi ses intimes, Marie-Christine Gignac était une des bonnes amies de Samuelle et, en conséquence, « ornait de sa présence les orgies » se tenant sur le terrain des Labelle. Bien qu'il eût déjà commencé ses manœuvres d'approche à l'école, Félix estimait indispensable au succès de l'entreprise de rencontrer sa proie dans un contexte social, aussi le gros de ses ressources

---

les soirs de week-end en compagnie de leurs amis, c'est-à-dire environ la moitié du niveau. Samuelle avait poursuivi la tradition et, bien que ses raouts fussent de dimension plus modeste, l'arrière-cour des Labelle demeurait un lieu fort prisé de la jeunesse grand-méroise. L'endroit étant situé sur une propriété privée, l'on n'était point exposé à ce que les policiers viennent, par pur désœuvrement, piétiner votre feu et vous demander vos cartes. Il arrivait qu'Anne-Sophie, Laurence et leurs amies se joignent au groupe.

cérébrales étaient-elles consacrées à ourdir des brigues visant à obtenir une invitation au club de motoneige, tout en évitant de compromettre sa dignité en ayant l'air de quémander. Il aurait simplement pu se présenter sur les lieux sans façon et se joindre au groupe, mais cela faisait beaucoup trop tache, trop : « J'ai rien à faire de mes vendredis soirs. » Il aurait également pu s'y faire admettre par Rémi Gélinas, son partenaire de lab en chimie, qui lui vouait une admiration sans borne, mais il ne tenait pas spécialement à passer pour un ami de Rémi Gélinas. Il excluait d'emblée de passer directement par Samuelle, qu'il n'aimait pas et qui, devinait-il, le lui rendait bien. Il la trouvait agaçante avec ses chemises à carreaux, sa démarche de garçon et sa prédilection pour « l'humour pas drôle ». Surtout, il avait la désagréable impression qu'elle ne le prenait pas au sérieux. Elle ne lui avait adressé la parole qu'une fois, au début de l'année, alors qu'ils étaient voisins en français, pour lui dire : « C'est plate, hein, être assis en avant ? Tu peux coller tes crottes de nez dans le dos de personne. » Il n'avait rien trouvé à répondre, s'était contenté de rire niaisement et les choses en étaient restées là entre eux. On peut donc imaginer sa surprise quand elle l'aborda, dans la salle des cases avant le premier cours, pour lui demander s'il avait fait son devoir de maths. « Heu… oui. » Il lui semblait qu'il dérogeait un peu en admettant avoir fait un devoir, mais mentir sur un sujet aussi trivial eût été encore plus ridicule. « Moi j'ai pas eu le temps. Je peux-tu copier le tien ?

– Oui, pas de problème.

– Es-tu bon en maths ?

– Bof.

– Moi non plus. Ça adonne bien : comme ça, ça paraîtra pas que j'ai copié. »

Qu'elle vienne lui parler comme ça, sans façon, constituait déjà un événement extraordinaire, mais il en resta vraiment comme deux ronds de flan quand, tout en transcrivant son devoir, elle lui demanda ce qu'il comptait faire le vendredi soir. Il reprit vite contenance, cependant, et répondit qu'il n'avait pas de projets arrêtés pour le week-end. Il allait voir des amis. Il fit bien sûr semblant de n'être point au courant et de ne pas connaître l'emplacement quand elle lui parla de ces fameux GT sur le terrain de ses grands-parents. Il demanda nonchalamment en quoi consistait la chose. « Bah, petite soirée tranquille : un kilo de coke, un tonneau de Jack Daniel's, une couple de tubes de K-Y, tout le monde tout nu… » Pourquoi cette fille se sentait-elle toujours obligée de plaisanter ? Rien ne l'exaspérait autant que les gens qui ne pouvaient ouvrir la bouche sans déconner. Cela vous obligeait à répondre sur le même ton, ce qui était épuisant à la longue. Il savait de toute façon comment ces ploucs se divertissaient, c'était sans doute partout pareil, de Saint-Tite (PQ) à Puy-en-Velay (France), en passant par Mankato (Minnesota) : conversation languissante au début, faite des derniers potins et de cassage de sucre sur le dos des absents puis, les inhibitions dissoutes dans un litre ou deux de bière tiédasse, début de la parade nuptiale des garçons, vaine et grossière, malhabilement dissimulée derrière un paravent de fausse camaraderie et de bruyantes démonstrations. À la fin, et cela était aussi immanquable que le lever du soleil ou la mort, une guitare surgissait du néant et quelque malheureux entreprenait de bramer *Blowin' in the Wind, La rue principale* ou *La ballade des caisses de 24.* C'est grâce à cela que l'on se sentirait autorisé, dix ans plus tard au conventum, à proclamer : « Criss qu'on avait du fun ! C'était le bon temps ! » Mais Félix eut la sagesse de garder pour lui ses commentaires. Pour l'heure, il voulait bien faire un petit effort pour se concilier les bonnes grâces de cette fille qui lui fournissait une chance inespérée d'emballer l'affaire avec Marie-Christine. « De la coke, du fort et du lubrifiant ? Ouais, c'est à peu près le genre de soirée qu'on planifiait, mes chums pis moi.

– Bin vous viendrez faire votre tour. Plus on est de fous...
– Cool. »

Ils échangèrent un sourire, Samuelle lui rendit son devoir et se précipita, avant que la cloche sonne, au local d'Anne-Sophie pour rendre compte du succès de sa mission. « Bon, OK, t'avais raison, il est pas si bête que ça, il est même relativement parlable. Il m'a laissé copier son devoir comme un gentleman, mais une chance que je l'avais fait parce que le sien est plein d'erreurs. T'es certaine d'avoir le goût de sortir avec quelqu'un qui peut pas résoudre une équation à deux inconnues ? Bon, il va être là vendredi, tu te feras une beauté. Si tu y arrives pas, on le fera boire jusqu'à temps qu'il te trouve de son goût. Fuck ! La cloche ! On se voit après le deuxième cours. »

Anne-Sophie accueillit cette nouvelle avec des sentiments ambivalents. Sa première réaction fut de se dire : « S'il est au relais vendredi, pas question que j'y aille. » Mais Sam la traînerait de force, attachée sur un diable comme Hannibal Lecter s'il le fallait. Après tout, c'est elle qui l'avait achalée pour qu'elle aille lui parler. Qu'est-ce qu'elle attendait de cette démarche, au juste ? Difficile à dire, seulement elle n'était pas trop certaine d'avoir envie de le rencontrer, du moins pas tout de suite et pas dans ce contexte. Où et quand alors ? La vérité est qu'elle redoutait cette rencontre. En partie parce que, malgré son peu d'usage en la matière, elle devinait l'ampleur du désespoir que l'on devait ressentir à ne compter pour rien aux yeux de la personne qui occupe toutes nos pensées. Mais aussi parce qu'elle se doutait bien qu'il existait forcément un décalage entre le Félix Lyonnais empirique et l'idée qu'elle s'en faisait. Cette peur d'être rejetée et cette peur d'être déçue, dont elle n'avait pas à tenir compte tant qu'il s'agissait seulement d'être amoureuse dans le vide, de se bâtir des châteaux en Espagne avec Félix dans le rôle du châtelain espagnol, ces deux peurs occupaient désormais toute la place. Elle tentait de se raisonner : « Si ces deux craintes venaient à se concrétiser, s'il ne voulait rien savoir de moi et qu'en plus il s'avérait le roi des imbéciles, eh bien les deux s'annuleraient : être rejetée par le roi des imbéciles n'a rien de tragique. » Laurence en ajoutait une couche : « Regarde, Anne-So, s'il veut rien savoir de toi c'est qu'il est obligatoirement le roi des imbéciles, alors tes deux craintes s'annulent anyway, hein ? » Bien que l'énoncé fût proféré avec l'assurance d'un professeur de mathématiques apposant son C.Q.F.D. au bas d'un problème, Anne-Sophie se doutait bien que ça ne fonctionnait pas tout à fait de cette manière. Malgré son peu d'usage – son absence totale d'usage, pourrait-on dire – en la matière, elle savait qu'on peut facilement mourir de chagrin pour un imbécile.

Ainsi donc Anne-Sophie aimait Félix, qui aimait Marie-Christine. Mais qu'en était-il de cette dernière ? Selon Félix, l'affaire était dans le sac. Il estimait avoir reçu d'elle suffisamment de signaux encourageants pour ne pas douter de son succès. Vaniteux comme un chat, jamais il n'aurait osé se déclarer sans être assuré d'une réponse positive. D'ailleurs, « se déclarer » serait inutile, il suffirait de créer l'ambiance propice et de laisser Marie-Christine faire les premiers pas. Peut-être même, par coquetterie, singer l'étonnement, résister un peu avant de céder. Cependant, lorsqu'elle arriva au relais, le vendredi soir vers huit heures (le temps était clément pour la saison et presque tout le monde se tenait dehors, autour du feu), et qu'elle vit Félix, un peu à l'écart, qui discutait avec deux garçons qu'elle ne connaissait pas, ses amis saint-titiens sans doute, ou saint-titois, bref ses amis de Saint-Tite, elle eut un mauvais pressentiment, devinant qu'il se trouvait là à cause d'elle, et du coup elle regretta un peu les « signaux encourageants » qu'elle lui avait envoyés. Car oui, bon, pour être tout à fait honnête, elle devait admettre que signaux encourageants il y avait eu. Des chamailleries, des sourires équivoques, des petites minauderies sans conséquence, mais grands dieux ! comment une fille est-elle censée se comporter quand celui que d'aucunes qualifient de plus beau gars de l'école lui témoigne de l'intérêt ? L'envoyer promener ? Jouer les vierges offensées ? Ce n'était quand même pas comme s'il lui avait fait des avances formelles, auquel cas elle lui aurait simplement dit la vérité : « J'ai déjà un chum et franchement t'es pas trop mon genre », et les choses en seraient restées là. Mais en l'absence de toute déclaration officielle, elle pouvait continuer à croire – ou à se faire croire – que tout cela n'était qu'un jeu pour lui aussi, et continuer à être l'objet de ses flatteuses attentions sans que cela prête à conséquence. Elle avait même pris soin de dédouaner sa conscience en racontant ce flirt à Pierre, son chum, lequel terminait son cégep et regardait donc comme contraire à sa dignité de voir un rival dans un gamin de 4ᵉ secondaire. Qu'il sortît avec une gamine de 4ᵉ secondaire ne constituait point une contradiction : on sait que les filles sont plus matures que les garçons, c'est écrit dans les magazines de filles.

Elle fit mine de ne pas l'avoir remarqué et alla s'asseoir le plus loin possible de lui et de ses sbires. Tourner les talons brusquement ferait jaser mais, avec un peu de chance, elle arriverait à faire acte de présence sans qu'il vienne lui parler. Elle s'arrangerait pour demeurer constamment en compagnie, comme ça, s'il venait tout de même la voir il serait forcé de s'en tenir à des propos indifférents. Elle déboucha sa bouteille de vin et alla se joindre à un groupe formé des siamoises – comme elle se plaisait à appeler Anne-Sophie et Laurence – et de quelques-unes de leurs amies qui entreprirent, sitôt les politesses d'usage échangées, de la mettre au courant de l'importante question qui les occupait, faisant de louables efforts pour ne pas parler plus de trois à la fois. Voici de quoi il retournait : Anne-Sophie était depuis longtemps – un mois ! – amoureuse d'un certain garçon qui se trouvait ici ce soir. Occasion rêvée de se rencontrer dans un cadre moins déprimant que l'École secondaire du Rocher, et pourtant Anne-So hésitait à aller lui parler, n'était « pas certaine que ça soit une bonne idée », ne le « sentait pas », et autres fadaises de la même eau. Depuis une bonne heure on la traitait de nounoune sur tous les tons sans que cela semble l'affecter. Peut-être Marie-Christine voulait-elle essayer de la traiter de nounoune sur un ton inédit ? Non, par contre elle aurait volontiers changé de place avec Anne-So. Si ça pouvait la consoler, son problème à elle était exactement l'inverse du sien et elle ne pouvait pas jurer que cela constituât un sort plus enviable. Qu'entendait-elle par « problème inverse » ? Elle l'entendait littéralement : un certain garçon s'était engoué d'elle et sa présence ici, où il se montrait pour la première fois, n'augurait rien de bon. Elle craignait fort qu'il profite de l'occasion pour lui déclarer sa flamme, ce qui risquait de donner lieu, dans le meilleur des cas, à une explication pénible, sinon à un éclat dont tout le niveau ferait ses choux gras pendant des semaines. (On fait beaucoup de millage avec ce genre d'événement dans les petites villes. Comme partout ailleurs un clou chasse l'autre, mais il peut se passer beaucoup de temps entre deux clous – heureusement, l'on est assez large sur la notion de « clou ».) « C'est qui ? C'est qui ? » Du menton, elle indiqua le coin où se tenait la filière saint-titaise. On comprit tout de suite de qui elle parlait, les deux acolytes de Félix ne comptant pour rien. Juste comme elle le désignait, Félix l'aperçut, lui fit signe de la main puis, laissant ses compagnons en plan, franchit la distance qui les séparait. « Eh ! Salut ! Je m'attendais pas à te voir ici ! »

Marie-Christine avait erré en s'imaginant contrarier les plans de Félix en se tenant en groupe. Elle n'avait pas compris que pour quelqu'un comme Félix, une tapée de petites pisseuses de 3ᵉ secondaire ne comptait pas pour public. À l'instar de la marquise dans son boudoir disant à son amant : « Parlez en toute confiance, mon ami : nous sommes seuls », pendant que sa femme de chambre arrange sa perruque et que deux laquais font le pied de grue à la porte, ce n'était pas qu'il leur disputât leur humanité, il ne s'apercevait simplement pas de leur présence. Pourtant, il avait été en 3ᵉ secondaire lui aussi, à une époque où les mammouths couraient encore sur la terre, mais on ne pouvait demander à la mémoire de remonter aussi loin. Et puis d'abord il avait doublé sa première année, il avait en conséquence deux ans de plus que ces gens-là. Ainsi donc, du fond de son néant, Anne-Sophie put assister à la scène – car ce fut effectivement une scène – qui occuperait les conversations le lundi matin. Rire joyeux de Félix quand Marie-Christine lui annonce qu'elle s'apprête à partir pour rejoindre son chum. Quel chum ? Rire jaune quand il réalise qu'elle ne plaisante pas. Félix devenant acerbe, les gros méchants mots bruns qui fusent : « Agace ! » « Salope ! » Marie-Christine, qui la joue empathique au début, finit par s'emporter. S'il s'imagine qu'une fille va obligatoirement lui tomber dans les bras dès qu'il lui fait l'honneur de la distinguer de la masse, il se met un doigt quelque part. Ça se termine de manière disgracieuse avec une dernière bordée de mots bruns de Félix et des insultes racistes de Marie-Christine, qui feint de s'étonner qu'un gars de Saint-Tite puisse s'intéresser à une fille qui n'est pas de sa parenté. Félix tourne les talons, sans doute un peu désappointé qu'on soit à l'extérieur et qu'il n'y ait pas de porte à claquer.

Les amies d'Anne-Sophie se tournèrent alors vers elle pour guetter sa réaction. Elles redoutaient une crise de larmes, mais le cas échéant on ferait ce qu'il faut : étreintes, tapes dans le dos, paroles consolantes et regards courroucés pour les curieux venant demander : « Quessé qu'a l'a ? » La colère était cependant préférable, cela permettrait de faire sortir le méchant, de se payer la traite sur le dos de Félix en lui attribuant une flopée d'épithètes dont « enfant de chienne » serait la plus bénigne. Mais de réaction, elle n'eût aucune. Elle se leva, marmonna une excuse et prit la direction de la maison de ses grands-parents, suivie de Laurence. Rose prenait le thé avec une voisine. « Grand-maman, je vais coucher chez vous à soir », annonça-t-elle. Puis elle descendit à la cave sans attendre la réponse, laissant à Laurence le soin de fournir les explications. Quand cette dernière vint la rejoindre, elle avait déjà défait le divan-lit, s'était déshabillée et couchée.

Elle mit longtemps à s'endormir. Elle restait immobile, les yeux ouverts, perdue dans ses pensées pendant que Laurence lui jouait dans les cheveux. Elle savait que cela ne constituait point la règle générale, mais pour cette fois il semblait bien que sa prédiction optimiste allait se réaliser : le fait d'avoir vu Félix se comporter en goujat et s'exprimer grossièrement l'avait un peu guérie de son engouement pour lui. Pas complètement, non, mais un peu. Il faut croire que ça n'était qu'une toquade, après tout. Était-ce à dire que le véritable amour était quelque chose de plus grand, de plus envahissant ? Elle pensait à Félix à chaque seconde de sa vie. Comment peut-on penser à quelqu'un davantage qu'à chaque seconde ? Pourtant, cela ne serait pas une peine d'amour, elle le savait. Elle avait senti le vent du boulet, mais elle en sortirait indemne. Elle prévoyait que les prochains jours allaient être pénibles, que rien ne la tenterait, que tout la dégoûterait et que cela durerait jusqu'à ce que le vide immense laissé par Félix se résorbe mais, décidément, elle n'allait pas tomber dans les langueurs et se laisser mourir comme la présidente De Tourvel, encore moins se jeter sous un train comme Anna, et pas même devenir dévote ni entrer au cloître comme beaucoup d'autres. Elle s'endormit sur ces bonnes pensées, satisfaite d'elle-même, fière de sa belle lucidité. Une autre à sa place en aurait fait un fromage, hein, se la serait jouée Phèdre, tout m'afflige et me nuit, et conspire à me nuire, et blablabla, aurait fait chier le peuple avec ça pendant des mois, mais pas elle. Elle avait froidement analysé son sentiment, avait circonscrit le mal, et cela comptait de moitié, au moins, dans la convalescence ; ceux qui savent en conviennent tous. Un problème bien posé est déjà à moitié résolu.

Elle connut effectivement un léger spleen les jours suivants, mais rien de dramatique. En fait, c'était presque une sensation agréable. Écouter *Fascination Street* en pensant à Félix, étendue sur son lit à regarder la pluie battre contre sa fenêtre, cela faisait en vérité un assez joli tableau. Elle pensait à lui avec détachement, se permettant même le luxe de lui chercher des excuses. Et, comme dit l'adage : quand on cherche, on trouve. On ne savait pas toute l'histoire, au fond, peut-être que cette Marie-Christine n'était pas tout à fait aussi vertueuse qu'elle le donnait à entendre, peut-être avait-elle donné des signes *vraiment* encourageants, des signes équivalant à des promesses. Dans ce cas, on pouvait le comprendre d'avoir perdu les pédales. C'était le signe d'un caractère entier, d'un esprit droit, de quelqu'un ne tolérant pas la duplicité. Et puis elle-même, il fallait bien l'admettre, n'était pas entièrement exempte de blâme dans cette histoire. Si elle était allée lui parler plus tôt au lieu de se comporter en jouvencelle, sans doute n'aurait-il jamais songé à Marie-Christine. Oui, tout ça était de sa faute.

Bref, elle se présenta à l'école ce lundi matin plus amoureuse que jamais, avec en tête l'intention bien arrêtée, quoique pas tout à fait assumée, d'établir le contact avec Félix. Il faudrait pour cela commettre cette action inconcevable mais néanmoins nécessaire : mentir à Laurence. Si elle lui disait la vérité, celle-ci ne comprendrait pas, tenterait de la dissuader, et cela ne mènerait à rien, sinon à perdre du temps et de l'énergie. Que lui raconter pour l'éloigner ? Là était la question. Mais peu importe la qualité de la menterie, il s'agissait de la débiter avec aplomb.

Il faut croire que le destin avait décidé de lui faire une faveur, ou de lui fournir la corde pour se pendre, selon le point de vue, car il advint que le mardi matin Laurence téléphona chez son amie pour la prévenir qu'elle n'irait pas à l'école ce jour-là, qu'elle avait pris froid ou attrapé un virus, mais que dans tous les cas elle se sentait tout juste assez mal pour que sa mère l'autorise à demeurer à la maison. « Je te raconterai *The Prize is Right*. Amuse-toi bien ! » C'était le moment ou jamais pour agir. Elle trouva Félix à son endroit habituel à l'heure du dîner, assis sur le rebord d'une fenêtre de la salle 028, absorbé dans son livre. Il ne semblait pas du tout perturbé par sa récente déconfiture. Cela n'avait rien d'étonnant : quand on s'abreuve comme lui aux sources de la philosophie, qu'on cherche consolation du côté des grands auteurs, on se remet vite d'une petite piqûre d'amour-propre. Surtout d'une piqûre infligée par une insignifiante comme Marie-Christine Gignac. (Anne-Sophie, qui avait toujours apprécié Marie-Christine, la défendant si on la diffamait en sa présence, était à cet instant convaincue de l'avoir toujours tenue pour une nullité.)

Il portait son t-shirt rouge avec un marteau et une faucille croisés et son veston bleu. Il était si beau ! Comment tous ces gens autour pouvaient-ils continuer à vaquer à leurs activités, placoter, chahuter, jouer au baby-foot ? Comment pouvaient-ils résister à la tentation de se planter devant lui pour le contempler ? Elle s'approcha sans trop savoir ce qu'elle dirait. Elle avait pour principe de ne jamais rien préparer – elle improvisait toujours ses exposés oraux. Les choses auxquelles on pense trop longtemps sortent immanquablement tout croche. Elle y alla d'abord d'un simple « Salut ! », histoire de capter son attention. Le regard qu'il lui coula alors par-dessus la couverture de son livre, regard qui signifiait à peu près : « J'espère que ce que vous avez à dire est de la plus haute importance, mademoiselle, autrement je ne vois pas où vous auriez pu trouver le culot de venir troubler ma quiétude », la figea et lui fit perdre tous ses moyens. Pour que le message fût parfaitement clair, il accompagna son regard d'un léger soupir de lassitude. Comme elle restait plantée là, il haussa légèrement les sourcils comme pour dire : « Et alors ? » Elle aurait tout donné pour se retrouver instantanément dans n'importe quel endroit de l'univers hors la salle 028 ou, mieux encore, revenir trente secondes dans le passé et reprendre son « Salut ! » Elle souhaita très fort que l'un de ces miracles, la téléportation ou le voyage dans le temps, se produise, n'importe lequel, mais comme toujours quand ça compte vraiment, ses prières demeurèrent lettre morte. Elle aurait toujours pu s'enfuir par ses propres moyens, simplement prendre ses jambes à son cou mais, sa dignité ayant opposé son veto au projet, elle dut se résoudre à dire quelque chose. « Heu… c'est quoi que tu lis ? » parvint-elle à articuler. Il écarquilla les yeux (quelque chose comme : « Ai-je bien entendu ? Vous me dérangez vraiment pour ça ? ») et lui fit néanmoins la faveur de lui montrer la couverture de son livre pendant quelques secondes. Nouveau haussement de sourcil (« Autre chose ? »). Mais cette fois Anne-Sophie prit bel et bien la fuite, sans même consulter sa dignité. Il la regarda s'éloigner un instant, haussa les épaules (dans les circonstances, cela pouvait vouloir dire : « Grands dieux ! Si je devais accorder de l'attention à toutes les petites blondasses qui se pâment à mon sujet, on n'en finirait plus ! »), puis il continua de faire semblant de lire d'un air serein. Comme ça, si Marie-Christine venait à passer, elle verrait qu'on retombe vite sur ses pattes quand on s'appelle Félix Lyonnais.

Elle passa le reste de la journée dans un état second, cachée dans un recoin au fond d'elle-même. À la surface, les sensations lui parvenaient sans qu'elle se donne la peine de les décoder. Le prof devant la classe produisait des sons absurdes avec sa bouche et ses camarades traçaient des figures sur du papier. À un certain moment tout le monde se leva. Pourquoi donc ? Ah ! oui : il fallait changer de cours. Mais à quoi bon ? Ce cours-là ou un autre, qu'est-ce que ça changeait ? Français, chimie, c'est équivalent, non ? Elle les imita pourtant et les suivit dans un autre local où un autre prof se mit, à son tour, à produire des sons avec sa bouche. Puis on se leva à nouveau et ce fut la ruée vers les cases. Conversations et éclats de rire. (Comme c'est idiot de rire, quand on y pense. Ce n'est pas comme s'il y avait vraiment quelque chose de drôle.) Elle passa à son casier y jeter son sac et prendre son manteau, et elle se retrouva sur la Troisième, en direction de chez Laurence. Il fallait aller la voir, sinon elle trouverait ça bizarre. Quelle distance entre la poly et les blocs ? Deux kilomètres ? Disons. Deux kilomètres donc, pour reprendre le dessus, remonter à la surface et faire comme si de rien n'était. Sinon quoi ? Sinon se faire tirer les vers du nez par Laurence : « Je suis allée parler à Félix et il m'a regardée comme si j'étais un cloporte et là tout de suite ça m'adonnerait assez qu'une météorite frappe la terre et annihile toute forme de vie. » Non, Laurence avait beau être à ses yeux un second soi, il y a des sujets que l'on n'a pas envie d'aborder avec son premier soi. Un jour un coéquipier d'Émile avait subi une commotion cérébrale et, en se réveillant à l'hôpital, il n'arrivait plus à se souvenir des événements de la dernière journée. Peut-être qu'en se frappant la tête assez fort sur le trottoir, elle pourrait elle aussi annuler ce mardi-là ? Au pire ça changerait le mal de place. Elle approchait de chez Laurence quand un faible rayon de lumière perça les ténèbres de son esprit. Elle s'arrêta de marcher, sans s'en rendre compte, puis resta un long moment à réfléchir. Si Félix l'avait traitée avec une telle hauteur, ça n'était point malice ni snobisme de sa part ; simplement il se rappelait l'avoir vue le vendredi précédent et il savait qu'elle avait été témoin de la rebuffade qu'il avait subie. Pire : comme elle se trouvait en compagnie de Marie-Christine à ce moment-là, il la prenait sans doute pour une amie de cette dernière. Peut-être même avait-il pensé qu'elle ne venait lui parler que pour se moquer de lui. Oui, ça ne pouvait qu'être cela ! Sa réaction s'expliquait dans ce cas. Mais comment dissiper le malentendu ? Comment lui expliquer que Marie-Christine n'était qu'une vague relation de sa cousine, rien de plus ? Comment lui faire comprendre, surtout, qu'elle lui conservait toute son estime ? Ce ne sont pas des choses qui se disent aisément. Lui écrire ? Oui, c'est ça, lui écrire. Il lirait sa lettre et ne pourrait pas ne pas s'apercevoir de la parfaite conformité de leurs deux âmes ; il viendrait alors s'excuser de l'avoir regardée comme si elle était un morpion et ce serait le début d'une belle amitié – et plus si affinité, comme disent les petites annonces.

Elle s'y mit le soir même, peinant des heures sur un brouillon qu'elle recopia de sa plus belle écriture, lentement, traçant chaque lettre avec soin. Elle se récita mentalement sa missive des dizaines de fois avant de s'endormir, afin de débusquer un éventuel couac, un détail malheureux, quelque chose qui la ferait passer pour la fille qui… en tout cas. Mais non, tout semblait OK. Elle avait réussi à montrer son esprit tout en évitant de paraître vouloir faire de l'esprit, à placer deux ou trois mots rares tout en demeurant limpide, s'était montrée sincère sans verser dans le nunuche. Et les fautes ? Est-ce qu'elle n'avait pas bêtement oublié un « s » quelque part ? Dans ce cas, il la prendrait à coup sûr pour une demeurée et jetterait sa lettre sans la terminer. Elle se leva en pleine nuit pour la relire. Fausse alerte, aucune faute. Le lendemain, entre les deux premiers cours, alors qu'il n'y avait presque personne, elle glissa sa lettre dans la case de Félix par la fente du haut de la porte. Elle resta un moment hébétée, se demandant si elle avait vraiment fait ça. Pour la deuxième fois au cours des vingt-quatre dernières heures, elle éprouva une envie folle de posséder une machine à remonter le temps. À défaut, elle envisageait de soudoyer le gros Luc, de lui faire des propositions indécentes pour qu'il accepte de couper le cadenas de Félix et la laisse récupérer sa lettre. Elle n'en fit rien, elle se contenta de monter à sa classe où, pas plus que la veille, elle ne comprit de quoi il était question.

Eh bien voilà : le sort en était jeté. La balle était dans le camp de Félix. Il lirait son mot au plus tard à midi, puis viendrait la trouver après l'école : « J'ai reçu ta lettre. On peut se parler ? » Son cœur battait de plus en plus vite à mesure que l'après-midi avançait. Au deuxième cours, non seulement elle ne parvenait pas à attribuer de signification aux bruits que le prof faisait avec sa bouche, mais elle ne se souvenait que par intermittence que le grotesque assemblage de membres qui émettait ces bruits était ce qu'on appelle un « prof ». Quand le timbre se fit entendre et que tout le monde se leva, elle eut peur d'avoir également oublié comment marcher. Elle y alla au petit bonheur et, par miracle, parvint à ne pas tomber. « Kesstaanso. » Laurence qui lui parlait. « Quoi ?

– Qu'est-ce que t'as, Anne-So ? T'as pas l'air bien.

– Non, sais pas, en fait… non, je file pas super bien, mais c'est correct.

– T'es certaine ?

– Oui oui. »

Elle s'attarda longuement aux cases, s'offrant en cible, mais Félix ne vint pas la voir. Elle ne s'en alarma pas outre mesure : peut-être souhaitait-il relire sa lettre chez lui, à tête reposée. Peut-être aussi avait-il l'intention de lui répondre par écrit, retourner la balle dans son camp. Plausible. Elle lui avait donné son adresse en post-scriptum. De retour à la maison, elle se força à attendre le plus longtemps possible avant d'aller prendre ses mails, c'est-à-dire quelque chose comme trois quarts d'heure. *You have 1 new(s) message(s)*, son cœur qui s'arrête de battre puis, une fraction de seconde plus tard : *From : Frédérique Labelle*. « Fuck ! C'est juste Fred… » Revenue de son émotion, elle se sentit coupable d'avoir eu cette pensée, mais elle estima n'être point trop à blâmer dans les circonstances. Bon, il n'avait pas encore écrit, mais à quoi s'attendait-elle aussi ? Qu'il ne se précipitât pas était plutôt bon signe, cela prouvait qu'il ne prenait pas la chose à la légère. Elle avait planché cinq heures sur son brouillon, elle pouvait bien lui accorder le même délai. Elle lut le message de sa cousine, qui réussit à lui arracher un sourire, puis elle tenta de s'occuper l'esprit jusqu'à l'heure du coucher. Stéphanie regardait un film au sous-sol avec des amis. Elle se joignit au groupe. Une minute après la fin du film, ni l'hypnose ni la torture n'aurait pu lui arracher un résumé cohérent de l'œuvre – elle eût même été incapable de dire s'il s'agissait d'un film d'horreur ou d'une comédie romantique –, mais cela avait tout de même permis de tuer deux heures. Avant d'aller au lit, vers dix heures, elle retourna prendre ses messages, mais Félix n'avait toujours pas écrit.

Il n'écrivit pas davantage les jours suivants, pas plus qu'il ne vint lui parler à l'école. Étrangement, il ne cherchait pas non plus à l'éviter. Il se comportait exactement comme d'habitude et ne manifestait aucune émotion lorsqu'il la croisait dans les corridors. Il n'avait pas reçu sa lettre ! C'était la seule explication. Mais comment était-ce possible ? Elle fit le test pour en avoir le cœur net : elle jeta dans son propre casier une enveloppe de même dimension, lestée d'un nombre équivalent de feuilles. Comme on pouvait le supposer, la lettre gisait par terre au fond du casier, sa blancheur se détachant nettement dans la pénombre. Impossible de la manquer.

La vérité toute simple, comme Anne-Sophie l'apprendrait beaucoup plus tard, alors que cela ne voudrait plus rien dire, c'est que Félix avait bel et bien reçu sa lettre, l'avait parcourue – en diagonale, malgré sa brièveté –, avait consacré quelques minutes de son temps à tenter de mettre un visage sur cette Anne-Sophie, était finalement parvenu à déterminer qu'il devait s'agir de cette petite blonde insignifiante, cousine de cette demi-folle de Samuelle Doyon. La vérité est qu'il la considérait bel et bien comme quantité négligeable. À la rigueur, il aurait pu condescendre à sortir avec une fille de 3e secondaire. Après tout, cela n'était pas si honteux pour un garçon de fréquenter une fille un peu plus jeune, cela n'allait point contre l'usage. Seulement, Anne-Sophie ne faisait pas son âge. À quatorze ans, elle aurait pu sans problème s'infiltrer dans un groupe de sixième année. En mélangeant ses cinq photos officielles du secondaire, il est impossible, sinon par hasard, de les replacer dans leur ordre chronologique. Bref, elle avait l'air d'une fillette (aujourd'hui encore, à vingt-quatre ans, il est rare qu'elle mette le pied dans une SAQ sans qu'on lui demande une pièce d'identité), si bien que Félix se dispensa même de se sentir flatté des sentiments qu'elle éprouvait à son endroit, tant la chose allait de soi, tant il était évident que toutes les fillettes s'endormaient le soir en pensant à lui. Ajoutons à cela que, malgré ses airs de ne pas y toucher, il traversait alors une authentique peine d'amour. Le rejet de Marie-Christine ne l'avait pas uniquement atteint dans son amour-propre. La blessure était réelle, profonde et mauvaise. Dans ces conditions, Anne-Sophie eût-elle correspondu à ses critères que cela n'eût fait qu'exacerber son mal, l'amour de l'une lui rendant encore plus incompréhensible le dédain de l'autre.

Elle se raccrocha aussi longtemps que possible à tous les fétus, jusqu'à ce qu'elle fût bien obligée de se rendre à l'évidence : Félix ne l'aimait pas. Il ne s'était même pas donné la peine de fouler son cœur aux pieds, il l'avait ignorée, tout simplement. Et cette fois le boulet l'atteignit de plein fouet, l'impact lui coupa le souffle. Elle se refusait pourtant à afficher son désespoir, estimant que cela ne se faisait pas de pleurer un amour qui n'avait jamais eu lieu. Votre petit ami vous jette après deux, trois ans de fréquentation, vous êtes alors officiellement en peine d'amour ; personne ne vous le reprochera si vous pleurez pour un rien, chipotez dans votre assiette, ne répondez pas quand on s'adresse à vous, etc. Votre douleur est sacrée. Mais afficher une peine d'amour sans qu'il y eût eu histoire d'amour au préalable, cela eût été ridicule, et pourtant cela faisait aussi mal que la chose en soi, du moins l'imagination d'Anne-Sophie ne pouvait concevoir pire. Elle s'efforçait donc de faire bonne figure devant sa famille et ses amis – seules Laurence et Frédérique connaissaient toute l'histoire ; Laurence parce que c'était Laurence, et Frédérique parce qu'elle était loin et que la distance favorise les confidences –, plaquant un sourire enjoué sur son envie de mourir, mangeant apparemment de bon cœur, quoiqu'elle trouvât cette activité absurde et un peu dégoûtante. Préserver les apparences l'épuisait tellement, et c'était là le bon côté des choses, qu'à la fin de la journée elle s'endormait en touchant l'oreiller. Le sommeil était son seul refuge. En se réveillant le matin, elle disposait d'un répit de quelques secondes avant que le cauchemar qu'était sa vie se rappelle à sa conscience. D'abord la sensation physique, une main qui vous broie le cœur, une autre qui vous arrache les intestins, puis votre cerveau qui vous explique la raison de cette douleur : vous alliez devoir vous lever et vivre une autre journée dans un monde où vous ne comptiez pour rien aux yeux de Félix Lyonnais, une journée au cours de laquelle vous alliez faire des centaines de choses dépourvues de signification et d'intérêt (vous laver, vous habiller, aller en classe, etc.) avant d'avoir le droit de retourner vous coucher. Quatorze heures à tirer avant votre prochaine dose de néant.

Cela ne dura pas tout à fait deux mois. Les retrouvailles avec ses cousins de Québec et de Sudbury, à l'occasion des vacances des fêtes, lui procurèrent une distraction salutaire. Sourire représentait toujours une corvée, mais de moins en moins pénible avec le temps. Elle eut même quelques fous rires sincères avec Frédérique pendant la messe de minuit (Gilles Descôteaux jouait le rôle de saint Joseph dans la crèche vivante), à laquelle on ne pouvait pas couper, par ordre des deux grand-mères. Étrangement, elle éprouva quelque chose comme de la déception quand elle s'aperçut qu'elle entrait en convalescence. Quoi ? C'était tout ce qu'elle avait dans le ventre ? C'était ça, son grand amour ? Quelques semaines et l'on en voyait déjà la fin ? Son soulagement de voir la lumière au bout du tunnel s'accompagnait d'un peu de mépris pour elle-même. Était-il possible d'être aussi frivole ? L'heureuse idée qu'elle avait eu de ne pas crier au loup, de ne pas faire sa Phèdre du Domaine Laflèche !

Au retour des vacances, elle pouvait se considérer à peu près guérie. Il lui fallait vraiment gratter le bobo pour ressentir de la douleur, et encore n'était-ce qu'un fantôme de douleur, à peine plus puissant qu'un mauvais souvenir. Et puis arriva Guillaume Cloutier, qui eut la grâce – à défaut d'autre chose – de se trouver au bon endroit au bon moment. Six mois plus tôt Anne-Sophie ne lui eût pas même fait l'aumône d'un regard mais, son expérience récente lui ayant appris dans quels tourments pouvait vous jeter l'indifférence de l'autre, elle décida au moins de l'éconduire en douceur. Elle ignorait que cela revenait au même, mais l'intention était là. Ils avaient des cours en commun depuis la 1re secondaire mais ne s'étaient jamais vraiment parlé, sinon pour se dire ce qu'on dit à n'importe qui, as-tu fais ton devoir de bio ? qu'est-ce que t'as répondu à la question 4 ? etc. Si on se rencontrait dans la rue on échangeait un sourire et un signe de tête. Il était amoureux d'Anne-Sophie depuis longtemps mais, ne la voyant jamais hors de l'école et n'ayant aucune connaissance en commun avec elle, il ne disposait d'aucun biais pour arriver jusqu'à elle. Trop timoré pour forcer le destin – qui ne l'est pas à cet âge ? –, il se contentait de l'admirer en silence, se disant que ça serait bien le diable s'il ne se présentait, d'ici la fin du secondaire, aucune occasion d'entrer en contact. Cette occasion finit effectivement par se présenter, certain soir où Anne-Sophie et Laurence se laissèrent entraîner Chez Marcelle par leurs copines d'école. À cette époque, le bar Chez Marcelle, que le lecteur veuille bien s'en souvenir, était un lieu de rassemblement fort populaire auprès de la jeunesse du Grand Shawinigan, principalement en raison du laxisme de la maison concernant les histoires d'âge légal pour fréquenter un débit de boissons. Du moment que vous ne débarquiez pas vêtu de votre uniforme des louveteaux ou avec un sac à dos des Télétubbies, on vous vendait tout l'alcool que vous vouliez. Si vous rencontriez un adulte Chez Marcelle, c'est qu'il appartenait à l'une des deux catégories suivantes : employé ou pédophile.

Anne-Sophie et Laurence en étaient à leur première visite ce soir-là et, au bout de dix minutes, elles regardaient déjà vers la sortie. Elles n'aimaient pas trop le bruit et la foule, elles tenaient la danse pour une activité parfaitement ridicule et il n'entrait pas dans leur conception d'une soirée agréable d'échanger des banalités en hurlant avec des gens que de toute façon on côtoie à longueur de semaine. Elles se contraignirent à faire acte de présence, c'est-à-dire à boire une bière, le temps de s'inventer une excuse quelconque pour fausser compagnie au groupe. C'est pendant qu'elles buvaient cette bière que Guillaume vint les aborder. La chanson qui jouait était *Who Let the Dogs Out.* Aucune histoire d'amour ne peut débuter sur une chanson comme ça, il aurait dû le savoir, mais il ne prêtait pas attention à ce genre de détail. Anne-Sophie était là, le reste n'avait pas d'importance. S'il attendait, elle risquait de disparaître ou le courage risquait de lui manquer. Il fendit la foule jusqu'à sa table et l'aborda. « Salut ! – Eh salut ! – C'est rare qu'on te voie ici. – Quoi ? – C'est rare qu'on te voie ici. – Ah, oui. C'est la première fois. – Quoi ? – C'est la première fois que je viens. – Aimes-tu ça ? – Non ! On partait, là. – Vous venez d'arriver ! – Quoi ? – Vous venez d'arriver. – Heille Guillaume, c'est où que la bus passe ? Sur Broadway ? – Quoi ? – C'est où qu'on prend la bus ? – Aucune idée. Voulez un lift ? – Tu conduis ? – Non, mais mon cousin a son char. – Dérange pas ton cousin, la bus c'est correct. – Sûre ? – Sûre. »

Il n'en fallait pas plus à Guillaume pour qu'il considère la glace brisée, le contact établi. Il estimait être passé du statut de vague connaissance à celui de connaissance tout court et s'accrochait avec pugnacité à cet état, ne ratant pas une occasion de consolider sa position, tout en gardant un œil sur l'échelon supérieur, celui de « bon copain ». Il venait lui faire un brin de causette tous les matins à sa case et s'arrangeait pour se trouver quelquefois sur son chemin quand elle rentrait de l'école, quoiqu'il le fît de manière moins systématique et plus subtilement que William Ricard autrefois. Elle ne faisait pas de détour pour lui échapper. Les intentions de Guillaume étaient transparentes, mais elle voulait éviter de lui faire de la peine, elle tenait vraiment à l'éconduire avec tous les ménagements possibles. Mais comment éconduire quelqu'un qui ne vous fait jamais d'avances directes ? Il semblait se contenter de ces miettes, ne demandait rien de plus que ces quelques minutes de conversation quotidienne. Il s'insinuait dans sa vie de manière si graduelle, il avançait si lentement qu'il en paraissait immobile. Mais il avançait. Il lui demanda un jour, sous un motif quelconque, son numéro de téléphone et se mit à l'appeler, d'abord pour des raisons « professionnelles » (« Suis pas certain d'avoir bien noté le devoir de maths, est-ce qu'il faut vraiment faire les problèmes de un à douze, ou juste un *et* douze ? »), puis seulement pour discuter le bout de gras. Tirant prétexte d'un vague : « Tu passeras faire ton tour si ça te tente », émis par simple politesse, il devint l'hôte le plus assidu du relais de motoneige, même si Anne-Sophie n'y passait elle-même qu'environ une fois par mois. Cela restait toujours le seul endroit où il pouvait espérer la rencontrer en dehors de l'école. Quand elle était là, il se tenait près d'elle, mais sans chercher à l'accaparer. Il s'efforçait de se faire tout petit, de rendre sa présence légère, guettant la moindre occasion de se retrouver seul en sa compagnie, ne serait-ce que quelques secondes. Aller avec elle chercher des bûches dans le hangar à bois de son grand-père suffisait à son bonheur.

Sitôt qu'il eut fêté ses seize ans, il obtint son permis de conduire. Anne-Sophie ne l'aurait pas formulé aussi candidement, mais le fait qu'il était dorénavant motorisé le rendait plus attrayant. Par exemple, si elle et Laurence désiraient aller passer la journée chez les grands-parents de cette dernière, à Saint-Sévère, elles ne dépendaient plus du bon vouloir de Louis ni de Benoît pour leur transport, elles savaient que Guillaume ne demandait pas mieux. Elle avait vaguement l'impression d'abuser, de ne pas agir exactement comme il aurait fallu, mais c'était si pratique. Non seulement pour se rendre à Saint-Sévère, mais aussi pour faire la navette entre Saint-Mathieu-du-Parc et Grand-Mère, aller au cinéma à place Biermans ou à Trois-Rivières, ou même débarquer à l'improviste à Québec, passer la journée avec Frédérique. Bien sûr, on ne pouvait pas renvoyer Guillaume comme un vulgaire chauffeur de taxi (et puis on avait besoin de lui pour le retour), aussi était-il de toutes les activités, quoiqu'on eût un peu tendance à l'oublier. Anne-Sophie et Laurence se comprennent à demi-mot – pour employer l'expression consacrée, mais dans leur cas c'est plutôt à huitième ou à seizième de mot – et une tierce personne peut facilement se sentir larguée en leur présence. Quand elles s'en avisaient, elles faisaient des efforts pour inclure Guillaume dans la conversation, mais le naturel finissait par reprendre le dessus. Souvent, ce n'était qu'après coup qu'elles s'en rendaient compte : « Fuck ! On n'a presque pas dit un mot à Guillaume de la soirée, penses-tu qu'il est fâché ? » Mais elles n'arrivaient pas à se faire beaucoup de mouron à ce sujet.

Un jour, alors qu'elle rentrait à la maison, France lui dit : « Ton ami Guillaume a appelé, mon amour, il aimerait ça que tu le rappelles. » Le mot « ami » la fit tiquer. France l'avait-il employé par commodité ou bien Guillaume passait-il vraiment pour son ami ? Au fait, l'était-il ? Ami, voilà un mot au champ sémantique mal balisé ! Dans les annonces de bière, il arrivait qu'on vous offre la chance d'assister à un quelconque événement « en compagnie de vingt de vos amis » (aucun achat requis). Selon les critères des compagnies de bières, Guillaume comptait assurément pour un ami, mais devait-on vraiment s'en remettre aux compagnies de bière pour une question de cette nature ? Elle avait lu quelque part, sans doute dans un bas de page du *Reader's Digest,* la définition suivante du mot « ami » : « Un ami, c'est quelqu'un que vous pouvez appeler au milieu de la nuit pour lui demander de vous aider à enterrer un cadavre. » De qui était-ce, au juste ? Parions pour Oscar Wilde, ce grand fournisseur de bas de pages du *Reader's Digest,* mais à son avis cette définition s'appliquait aussi bien aux mots «désœuvré» et «pervers».

Oui, d'accord, Guillaume était un ami, ou plutôt un bon ami, le «bon» ayant ici valeur de bémol. Elle mesura alors avec étonnement l'étendue du terrain qu'il avait conquis, pouce par pouce, avec sa patience de bœuf, depuis cette rencontre Chez Marcelle. De l'inexistence pure, il était passé personnage d'arrière-plan, puis figurant, puis rôle muet, puis quatrième rôle, pas trop loin d'une mention au générique. Elle ignorait que certaines personnes lui attribuaient déjà le premier rôle masculin. Aux yeux de plusieurs, elle était déjà la «blonde à Guillaume». Elle ne tarderait pas à le devenir effectivement, mais là encore elle se ferait surprendre par le fait accompli. Un soir où ils étaient seuls tous les deux, ils achetèrent une bouteille de vin et allèrent la boire dans le cimetière des Anglais, adossés à un monument, à regarder les étoiles et à écouter les bruits de la forêt. Elle ne résista pas quand Guillaume s'avança pour l'embrasser. L'alcool? La simple curiosité? L'ambiance? Le fait qu'un cimetière soit un bon endroit pour un premier baiser? Le fait qu'à quinze ans on commence à être due pour ce genre de chose? Toutes ces réponses? Quoi qu'il en soit, cela n'était, pour reprendre les mots du rapport qu'Anne-Sophie ferait à Laurence le lendemain, «pas transcendant mais pas désagréable». Après tout, Guillaume était loin d'être affreux, elle savait au moins deux filles à l'école qui la détestaient franchement pour les attentions dont elle était l'objet de sa part, seulement elle ne put s'empêcher, alors que leurs langues se frôlaient, de songer à ce que cela lui aurait fait si Félix avait été à la place de Guillaume. Pourquoi pensait-elle à lui à cet instant? Elle ferma les yeux pour accentuer l'illusion, se sentit coupable, les rouvrit aussitôt et s'appliqua à refouler la certitude que cela eût été «transcendant» avec lui.

Lorsqu'un garçon parvient à embrasser une fille, cela agit comme un cliquet dans la relation. Si elle n'a pas résisté cette fois, au nom de quoi résisterait-elle les fois suivantes ? Bien sûr, quand on lui disait quelque chose comme : « Hé, Anne-So, je t'ai vue hier dans la rue avec ton chum », elle répondait : « Non, non, c'est pas mon chum, c'est juste Guillaume », ce qui ne les empêchait pas de former bel et bien un couple. Un couple bancal, soit, dans lequel tout l'amour était du même côté, mais si on se mettait à disqualifier les couples bancaux, le nombre de couples dans le monde serait tout juste supérieur à celui des pandas blancs. Elle s'était laissé embrasser et se laisserait embrasser chaque fois qu'ils se trouveraient seuls, ce qui se produirait assez fréquemment puisque Laurence avait, à cette époque, déjà commencé à frayer avec Étienne Bourbeau, au sujet duquel elle clamerait également, tout au long de leur relation de presque trois ans, qu'il n'était point son chum. Puis un jour Guillaume l'embrassa en public – nouveau cliquet – sans qu'elle y puisse grand-chose. Pour le repousser elle n'aurait pu invoquer autre chose que la vérité, et la vérité, en l'occurrence, ne se disait pas. Les baisers se firent de plus en plus intenses, s'accompagnèrent de caresses, les caresses se firent de plus en plus précises jusqu'à ce que, une semaine environ après le début des classes, dans le sous-sol des parents de Guillaume, ce qui devait arriver arriva. Elle perdit sa virginité le 10 septembre 2001. Commentaire de Samuelle : « Merde, Anne-So, si t'avais pu te retenir juste une journée de plus, t'aurais coïncidé avec une date historique ! Mais faut croire que ça pressait… »

Pour quelqu'un qui tape à deux doigts, on peut dire que tu tenais un rythme d'enfer. En un peu moins de huit semaines, tu avais pissé quelque chose comme cinquante mille mots – l'équivalent de ton deuxième roman –, couvrant ses origines familiales et son enfance. La seule difficulté était d'opérer un tri, de trouver un fil conducteur dans l'immense fourmillement d'anecdotes recueillies. Si elle se montrait intarissable sur ses jeunes années, pouvant ressusciter des journées entières (même des journées dépourvues du moindre fait saillant), son récit se faisait de plus en plus schématique en approchant de l'époque contemporaine, de ces années sur lesquelles la nostalgie n'avait pas eu le temps d'étendre sa patine. Elle pouvait te parler pendant des heures d'un après-midi passé à faire un bonhomme de neige, à Kipaowé, mais elle expédiait en quelques phrases ses trois années de cégep à plancher sur des problèmes de maths et des formules de chimie. Il te fallait la presser de questions pour arriver à mettre un peu de viande autour de l'os. En fait, tu cherchais surtout à ralentir le tempo parce que tu appréhendais le jour où le temps de son récit rejoindrait le temps réel, et où elle dirait : « … et puis je t'ai rencontré au Salon du livre et à partir de là tu connais la suite. » Et après, quoi ? Que se passerait-il quand ces séances de travail qui justifiaient vos rencontres cesseraient ? Votre amitié était-elle assez solide pour vivre de sa propre vie ?

Il faut croire que tu t'en faisais inutilement car, dès le lendemain du jour où elle prononça le fameux « tu connais la suite », *elle t'appela pour te demander si tu descendais à Grand-Mère cette fin de semaine et, si oui, de quelle manière tu comptais passer le temps. Votre relation s'est poursuivie comme si de rien n'était, elle ne te demandait même pas de nouvelles sur l'avancement des travaux. De quoi parliez-vous maintenant que tout avait été dit à son sujet ? De tout et de rien. Vous discutiez de vos coups de cœur culturels : « Ce qui va arriver, retiens bien ce que je te dis, c'est qu'au prochain vote Cindy va se ramasser au ballotage parce qu'elle est trop identifiée à Yan, les autres gars savent déjà que leur chien est mort. Pis ils vont aussi mettre Marie-Soleil pour faire plaisir aux autres filles, parce que les autres filles la haïssent depuis qu'elle a parlé dans le dos de Pascale. Mais l'affaire c'est que le public déteste Pascale parce qu'il voit ses petites manigances par en-dessous, ça fait qu'il va sauver Cindy, par défaut, même si c'est une grosse conne, pis là les autres lofteurs comprendront rien pis la marde va pogner. Ça va être trop bon ! Si on pouvait déjà être dimanche ! » Vous abordiez sans complexe de hautes questions philosophiques : « Je sais pas si ça te fait ça, toi, mais moi ça me fatigue de voir les gens en dehors de leurs fonctions, je veux dire t'sais mettons comme quand tu rencontres la madame de l'épicerie dans la rue, en civil, sans son uniforme et en train d'agir comme n'importe qui. Je trouve ça limite choquant. Premièrement je sais jamais s'il faut lui dire salut. On a beau s'envoyer des « Bonne journée ! » pis des « Si y peux-tu arrêter de mouiller ! » chaque jour de bord en bord du tapis roulant, on sait bien que la courtoisie ça fait partie de sa définition de tâche et qu'elle n'a pas nécessairement envie de transposer ça dans la vraie vie. Mais d'un autre côté, si tu l'ignores dans la rue, tu passes pour snob, peut-être ? Non, vraiment, les madames de l'épicerie devraient jamais sortir de l'épicerie. » Il vous arrivait même de parler sport : « Brad*

Richards, c'est censé être un marqueur naturel, ça ? Pourquoi j'arrive jamais à le faire scorer, d'abord ? C'est pas normal qu'une vieille picouille comme Mike Modano score la moitié des buts de l'équipe. » Surtout, elle te faisait parler de toi, te faisait raconter ta propre enfance, histoire de rééquilibrer les choses. « Et puis hein, peut-être que je pourrais écrire ta bio. Est-ce que ça s'est vu, ça, dans l'histoire de la littérature, deux personnes qui écrivent réciproquement leurs bios ? Pas à ma connaissance. Ça serait drôle, non ? »

Tu la trouvais toujours aussi affolante de beauté, mais tu essayais de ne pas trop y penser. Selon tes savants calculs, si vous aviez entamé une relation à l'époque de votre rencontre, vous auriez à cette heure une ou deux mises au point désagréables au compteur, en seriez déjà à peser vos mots pour acheter la paix. Peut-être, je ne le contesterai pas, seulement, à ta place, il me semble que j'aurais enduré quelques mises au point désagréables en échange du privilège de dégrafer son soutien-gorge. Mais bon, tu mènes ta barque comme tu l'entends. De toute façon, tant que personne d'autre ne dégrafait ledit soutien-gorge, tant que tu tenais le premier rôle masculin dans sa vie, ça t'allait. Tu croyais que ça durerait éternellement, que rien ne changerait, que vous vieilliriez ensemble comme ça, à vous péter de la broue et à faire vos fins finauds, aussi en restas-tu comme deux ronds de flan – on ne sait pas trop d'où ça sort comme expression, mais c'est plutôt joli – le jour où elle fit irruption dans ton appart, le rouge aux joues et des étoiles dans les yeux, alors que tu ne l'avais pas vue depuis dix jours, et qu'elle t'annonça sans préambule : « Je pense que je suis amoureuse… non, je pense pas : je suis amoureuse. Il s'appelle Mathieu. Tu vas l'aimer, tu vas voir, vous avez le même genre d'humour. »

Peu de temps après leur rupture – dont la date est aussi difficile à déterminer que celle du début officiel de leur couple –, Guillaume s'était mis à fréquenter des gens de moralité douteuse et œuvrait à temps plein dans le business de la vente de stupéfiants et de l'intimidation des mauvais payeurs. Il semblait parfaitement heureux dans ses nouvelles fonctions, parlant fort dans son cellulaire main libre, se pavanant dans la Sixième sur sa nouvelle Harley, à laquelle il avait négligé de faire installer un silencieux, se sentant aussi important que s'il avait inventé le pain tranché ou été sacré empereur du Mexique.

Samuelle voulait devenir psychoéducatrice, Laurence vétérinaire, même Marie-Ève, âgée d'à peine treize ans, savait déjà ce qu'elle voulait être plus tard : célèbre. Bref, tout le monde semblait avoir trouvé sa voie, sauf Anne-Sophie. Aucun de ses centres d'intérêt ne débouchant sur une quelconque activité lucrative, elle avait envisagé un moment de se résigner à séparer le travail et l'épanouissement personnel, de s'inscrire au professionnel et d'apprendre les rudiments de quelque métier sûr, stupide et relativement payant, briquetage, installation de systèmes d'alarme, soudure, réfrigération. Tirer ses sept heures chaque jour, toucher sa paye aux deux semaines et faire ce qu'elle aime hors des heures ouvrables. Elle décida plutôt de remettre la décision, de se laisser porter par le courant encore quelques années. Comme cela s'était produit cinq ans plus tôt lors du choix d'une école secondaire, ce fut Laurence qui trancha. Pour être admise en médecine vétérinaire à l'université, il lui fallait ses sciences pures. Anne-Sophie s'inscrivit dans le même programme pour ne pas être séparée d'elle et puis, comme disent les sages, « ça ouvre toutes les portes ». On lui disait : « Toi en sciences pures ! C'est drôle, je t'aurais plutôt vue en arts et lettres. » Mais elle savait que le programme d'arts et lettres, avec ses vingt heures de classe par semaine et ses cours aux titres nébuleux – Communication et culture, Littérature et société, etc. –, était avant tout une planque pour les paresseux et les losers, un repaire de cégépiens professionnels, fomenteurs de grèves, organisateurs de carnaval et poétaillons de journal étudiant. Elle se sentait paresseuse, peut-être même un brin loser, mais elle préférait encore se faire farcir la tête de logarithmes que de philosopher à l'Index, au-dessus d'une pinte de noire, avec trois ou quatre Che Guevara de Shawi-Sud.

Pourtant, les sciences exactes l'ennuyaient. Elle se souvenait des cancres, au primaire, expliquant à la maîtresse que ça ne valait pas le coup d'apprendre les tables de multiplication par cœur, puisqu'on les retrouvait à la fin du manuel de toute façon. Elle comprenait que l'idée d'apprendre les tables consistait surtout à faire travailler la mémoire ; tout de même les cancres n'avaient pas tout à fait tort : que vous ne compreniez rien aux mathématiques n'avait rien de dramatique, il se trouverait toujours quelqu'un pour comprendre à votre place. Toutefois, s'il suffisait qu'un nombre restreint de personnes soit féru de sciences pour que tout le monde en profite, nul ne pouvait éprouver à votre place le vertige provoqué par la lecture des grandes œuvres, et la connaissance de l'histoire ne pouvait être laissée entre les mains d'un petit comité. C'est pourquoi au secondaire elle se dissociait totalement des cancres – qui n'étaient pas les mêmes que ceux du primaire, les cancres ayant tendance à redoubler – levant la main pendant le cours d'histoire pour poser au prof cette colle, que l'on pourrait paraphraser ainsi : « Pourquoi devrais-je encombrer mon cerveau de toutes ces choses ? Moi qui ai l'intention, dès l'an prochain, de suivre mon cours de machinerie lourde pour ensuite devenir opérateur de machinerie lourde, je ne sache pas qu'il faille savoir qui régnait en France lors de la Conquête pour opérer de la machinerie lourde. J'ai d'ailleurs un oncle opérateur de machinerie lourde qui ignore même qu'il y eut jadis des rois en France et qui n'en opère pas moins sa machinerie lourde d'une manière qui force l'admiration. Alors, hein, je vous le redemande : pourquoi devrais-je apprendre tout cela ? » Pour être moins con. (C'était la réponse évidente, mais le prof la gardait généralement pour lui.) Mais peut-être au fond n'était-ce pas si bête comme question, peut-être Anne-Sophie faisait-elle preuve de mauvaise foi en décrétant la primauté des matières qui la passionnaient sur celles qui l'ennuyaient. D'ailleurs Laurence, que les mathématiques rebutaient encore plus que son amie, mais qui devait en passer par là, recourait aux mêmes arguments, à la seule différence qu'elle se retenait d'embêter les profs avec ça : « Calcul différentiel et intégral ! Voilà qui va m'être follement utile au moment de vacciner une vache ! » Qu'Anne-Sophie se soit embarquée dans cette galère par solidarité, elle considérait cela comme la plus grande preuve d'amour qu'on lui avait témoignée à ce jour. « Je vais être franche, Anne-So : je t'aime à en perdre la tête, prends une balance, mets sur un plateau ma mère, mon chum, mon frère, mes autres amis, et toi sur l'autre plateau, c'est même pas serré, ça penche de ton bord, je t'aime plus que tout le reste additionné, mais calice, je suis pas certaine que je me serais inscrite en sciences pures pour toi. J'aime autant que tu le saches. »

Ce qui est ironique c'est qu'elles se retrouvèrent, au bout du compte, à ne suivre aucun cours ensemble. Cette année-là, un mois après la rentrée, Laurence fut terrassée par une mononucléose qui la cloua au lit pour cinq mois et lui fit rater une année entière. Anne-Sophie fut tentée de changer de programme et d'aller barbouiller avec la bande d'arts et lettres, mais cette velléité lui passa : une fois dans le bain, ça n'était pas la mer à boire, et puis l'an prochain elle pourrait donner un coup de main à Laurence en lui refilant ses vieux travaux. En attendant, elle se rendait chez elle tous les soirs après les cours, faisait ses travaux en sa compagnie, lui racontait les nouvelles du jour et entendait le récit du dernier épisode des *Feux de l'amour,* feuilleton auquel Laurence était devenue accro.

Cela lui faisait drôle de ne pas avoir son amie à ses côtés, mais elle n'eut pas trop le temps de s'ennuyer en son absence. Premièrement parce que, pour la première fois de sa vie, elle devait ramer pour se maintenir à niveau dans ses études, mais aussi parce que c'est au cours de cet hiver-là que débuta sa relation avec Nicolas, sa première – et unique à ce jour – véritable histoire d'amour. Selon elle, il n'y a pas grand-chose à en dire : faire l'historique de leur couple reviendrait à faire celui de presque tous les couples. Il avait dix-neuf ans, habitait à Saint-Étienne-des-Grès, commençait son bac en enseignement à l'UQTR et était collègue de mononcle Alex dans le business de la vente de sapins de Noël aux New-Yorkais.

Son partenaire habituel s'étant désisté, Alexandre avait proposé à sa nièce de le remplacer cette année-là. Les conditions de travail laissaient à désirer – journées de seize heures, dormir dans la fourgonnette, prendre sa douche où l'on peut et quand on peut –, mais la paye était plutôt bonne, d'autant plus qu'en raison de son ancienneté, Alexandre jouissait du privilège de choisir son emplacement parmi les premiers. Cela avait son importance, si l'on sait qu'à Manhattan on pouvait extorquer entre 100 $ et 140 $ pour le même sapin qu'on vendait 50 $ dans le Bronx ou dans Queens. Ils avaient donc établi leur quartier général à l'entrée de Central Park, dans la Cinquante-Huitième Rue, au confluent de Broadway et de la Huitième Avenue. Nicolas et son cousin s'étaient quant à eux retrouvés dans Brooklyn, ce qui n'était pas si mal (on peut y vendre un sapin autour de 80 $). La plupart du temps les équipes n'avaient aucun contact entre elles, mais il arrivait qu'on se croise au dépôt, situé dans la Première Avenue. On prenait alors un café en parlant boutique. C'est là que Nicolas rencontra Anne-Sophie. Elle lui plut tout de suite, aussi trouva-t-il un prétexte pour se libérer le lendemain afin de lui rendre visite à Manhattan : dans son imprévoyance, il n'avait pas pensé à apporter de la lecture pour tuer le temps pendant les longues heures à faire le pied de grue devant la camionnette. Anne-Sophie lui prêterait-elle quelques livres ?

Ils marchèrent longuement dans le parc, un peu étonnés par la vastitude des lieux, se retrouvèrent dans Harlem et rentrèrent par Central Park East, qui redevint la Cinquième Avenue aux alentours de leur point de départ. Avant de se quitter ils achetèrent des hot-dogs à un marchand ambulant, et ce cliché de comédie romantique – New York en décembre, Central Park en arrière-plan, bouffer un hot-dog en marchant dans la Cinquième – les amusa infiniment. Elle lui prêta *En route* de Huysmans et le *Journal* des frères Goncourt – de quoi tenir un bon moment. « Faudrait qu'on s'organise pour se revoir avant de partir, pour que je puisse te les rendre.

– Ouais, on va sûrement se croiser au dépôt.

– Sûrement. Mais sinon, donne-moi ton numéro et on s'arrangera pour se voir en Mauricie. »

Évidemment, il s'était débrouillé pour ne pas la revoir au cours de leur dernière semaine à New York, déléguant systématiquement son cousin au dépôt. Il put ainsi lui téléphoner peu de temps après leur retour. On se donna rendez-vous, on passa des heures à parler, on se promit de se revoir, on se revit et, de la manière la plus naturelle du monde, on en vint à former un couple en bonne et due forme, avec tout ce que cela comporte, même une date officielle – le 3 mars. Elle en parle comme de son premier amour partagé même si, avec le recul, elle doit admettre que, cette fois encore, les sentiments étaient plus vifs d'un côté que de l'autre. Il n'était certes pas désagréable de s'entendre répéter cent fois par jour à quel point elle était si extraordinairement belle, de recevoir des fleurs et de se faire répondre « Je t'aime », quelle que soit la question qu'elle posait, mais cela pouvait devenir un peu étouffant à la longue. « Statistiquement improbable » était la réponse qui venait spontanément à l'esprit d'Anne-Sophie quand Nicolas lui demandait : « Crois-tu qu'on va encore être ensemble dans dix ans ? » Les probabilités lui donnèrent bien sûr raison, mais leur relation dura tout de même presque trois ans, ce qui est tout à fait honorable. Leur rupture fut causée par cette grande faucheuse de couples : la distance. Dès sa sortie de l'université, on avait offert à Nicolas un emploi à Trois-Rivières ; pendant ce temps Anne-Sophie emménageait à Québec avec Laurence. Au début on se voyait tous les week-ends, soit que Nicolas descendît à Québec, soit qu'on se retrouvât en Mauricie quand elle retournait dans sa famille. Il lui arrivait même, sur un coup de tête, de faire le voyage certains soirs de semaine, de dormir chez Anne-Sophie et de repartir le lendemain à cinq heures pour être au travail à temps. Puis vint l'étape des « J'aurai pas trop le temps en fin de semaine, je suis dans le jus » et des « Ouais, ça tombe bien, j'ai des corrections par-dessus la tête de toute façon », et l'on en arriva à ne plus se voir que quelques fois par mois, à se déshabituer de la présence de l'autre, à ressentir quelque chose comme de la gêne en se retrouvant après une longue séparation. Nicolas fit de louables efforts pour éviter que son couple ne s'en aille en eau de boudin, parla même d'essayer de se dénicher un poste à Québec, mais il finit par abandonner la partie en voyant qu'Anne-Sophie n'y mettait pas la même ardeur. Il y eut des pleurs, des échanges de mots méchants et des récriminations puériles (« En fait, ton idéal masculin c'est Laurence avec un pénis ! »), mais le tout en quantité raisonnable, si bien qu'au bout du compte on demeura bons amis.

Mais pour l'heure, dans les premiers jours de leur idylle, Anne-Sophie n'en était pas à se retrouver « dans le jus », en fait elle ignorait absolument dans quel programme elle s'inscrirait. Elle excluait d'emblée science politique, thanatologie et éducation physique, mais pour le reste c'était la noirceur totale. Cela commençait à presser mais, vers le milieu de sa deuxième année au cégep, alors que ses camarades remplissaient leurs formulaires d'admission en angoissant à propos de leur cote R, elle trouva un expédient pour gagner du temps. Puisqu'elle avait une année d'avance sur Lo, elle prendrait une sabbatique, voyagerait un peu, travaillerait, et comme ça elles pourraient commencer l'université ensemble. D'ailleurs Frédérique, qui venait de prendre la même décision, parlait d'aller passer deux mois en Europe à la rentrée avec son chum et insistait pour qu'Anne-Sophie les accompagne. Elle était retournée, cet hiver-là, trafiquer des sapins avec mononcle Alex et se trouvait donc à la tête d'un confortable pécule. Elle et Frédérique passèrent l'été à établir l'itinéraire du voyage, consultant Jean-François – le chum de Frédérique – pour la forme. On débuterait par le Royaume-Uni – Édimbourg, Dublin et Londres –, après quoi on traverserait la Manche et on passerait quelque temps en France, dont une semaine à Paris. Et après ? Frédérique penchait pour l'Italie, mais Anne-Sophie fit valoir qu'il y ferait beaucoup trop chaud à cette époque, ce qui n'était qu'un prétexte. La vérité était qu'elle tenait par-dessus tout à voir

Saint-Pétersbourg ; elle aurait volontiers sacrifié les Champs-Élysées et le château d'Édimbourg pour quelques pas sur la perspective Nevski. Frédérique qui, elle, en pinçait pour Rome et Florence, était réticente, mais finit par se laisser convaincre quand Anne-Sophie hasarda l'idée qu'on pourrait se séparer à Paris et terminer le voyage chacun de son côté. Apparemment Frédérique n'avait pas tellement envie de se retrouver seule avec son amoureux.

Ce périple de deux mois en Europe représente une aubaine pour le biographe, car elle écrivit à cette occasion à des personnes à qui elle n'écrivait point en temps normal, du fait qu'elle les côtoyait au quotidien. Les lettres à Laurence et à sa mère nous sont toutes parvenues, les premières parce que Laurence ne jette jamais rien, les secondes parce que France, vu ses compétences plus que limitées en informatique, ignore qu'il est possible de se défaire de ses vieux mails. Afin de respecter ma promesse de laisser la parole à mon sujet chaque fois que les circonstances s'y prêtent, je donne ici quelques extraits de ces lettres.

D'Anne-Sophie à Laurence Douville, 20 septembre 2005, Paris :

Lo,

Ne t'inquiète pas, je ne te ferai pas l'insulte de t'écrire pour te dire que tu me manques. Si je te disais que tu me manques c'est comme si la possibilité que tu ne me manques pas existait, ce qui est absurde. Il faut que j'évite de penser que toi et moi ne sommes pas sur le même continent, sinon c'est la panique. Mais bon, au moins ici les distractions ne manquent pas. Mais inutile que je te parle de Paris, on sait tous à quoi s'en tenir et de toute façon on va y aller ensemble un jour, hein ? Pour donner un contenu à cette missive, le mieux est encore de potiner. Voilà : je t'annonce en grande primeur qu'il est fort douteux que le couple composé du sieur Jean-François Joncas et de mademoiselle Frédérique Labelle dure longtemps. Les sages le disent : voyager est la meilleure façon de vérifier si l'on est fait l'un pour l'autre, eh bien je dois dire que le test n'est pas très concluant jusqu'ici. Ce n'est pas la guerre ouverte, les engueulades et les vacheries, non, juste une petite fraîcheur de ton, des manières faussement conciliantes, des agaceries à peine perceptibles mais qui font leur travail de sape. Des coups d'aiguille qu'on donne avec une fausse bonne humeur et auxquelles l'autre ne peut guère répliquer sans risquer l'accusation de manquer d'humour. Tu vois le genre. Et bon, toute solidarité familiale mise à part, les torts sont surtout de son bord à lui. Ce n'est pas le mauvais cheval, don't get me wrong, mais il a un je-ne-sais-quoi d'irritant. Juste un exemple : il affecte de tenir les touristes (ce qu'il est pourtant) pour des ploucs finis et il ferait un détour de trois kilomètres pour éviter de passer près de la tour Eiffel. Ça ne serait rien s'il ne se faisait pas, par-dessus le marché, un devoir de s'ébaubir devant les choses les plus banales pour le simple plaisir de pouvoir raconter, à son retour, qu'il a évité les pièges à touristes. Leur ai faussé compagnie hier, alors qu'ils partaient admirer une ruine du XIVe siècle (un simple mur, en fait) à dix-huit kilomètres au sud de Paris. Ai scandalisé J-F en lui exposant mes projets pour la journée : le Louvre, Notre-Dame et, oui, la Tour, que j'avais non seulement l'intention de contempler, mais d'escalader. Ce que j'ai fait, bien sûr, prenant soin d'acheter au passage les cartes postales les plus lamentablement typiques – le Moulin Rouge, le *Baiser devant l'Hôtel de ville* de Doisneau, l'affiche des Folies Bergères par Toulouse-Lautrec, ma conscience s'est cependant rebiffée devant l'affiche de la tournée du Chat-Noir – et de les agiter sous son nez pour lui donner la nausée.

Bon, je te laisse : il faut être millionnaire pour utiliser Internet ici. Dans deux jours nous serons à Bruxelles. Première chose que je dis en mettant le pied hors du train : « Vite, allons voir le petit angelot qui fait pipi ! », ce qui devrait achever de dégoûter J-F de ma personne. Je t'aime. À toi pour toujours,

Phie

À France Labelle, 27 septembre 2005, Bruges :

Maman,

Je t'envoie ceci à tout hasard, au cas où tu aurais appris à te servir d'un ordinateur depuis mon départ. Je t'aurais bien écrit avant, mais pour ça il aurait fallu que je m'avoue à moi-même que je m'ennuyais de ma maman. La honte ! Je sais de toute façon que tu es ponctuellement tenue au courant de mes déplacements et de mon état de santé par Lo. Il paraît que vous avez passé la soirée d'hier à parler de moi avec attendrissement en regardant des vieilles photos. Je devrais peut-être partir plus souvent. […]

À Stéphanie Labelle, 27 septembre 2005, Bruges :

Sis,

J'ai eu ton mail avant de quitter Paris, mais là c'est la première fois depuis que je me trouve devant un ordi. J'ai essayé de t'appeler avant-hier (j'étais à Bruxelles), mais je suis tombée trois fois sur ton répondeur (ce qui t'a fourni trois occasions de dire : « Criss que ça m'énarve le monde qui raccroche sans laisser de message ! »). Quoi qu'il en soit, pour répondre à ta question principale : je ne peux pas dire avec certitude quand je rentrerai. Probablement dans la première semaine de novembre, mais j'ignore la date précise. Le fait est qu'on a pris un peu de retard sur le calendrier. Juste pour dire : on n'était pas censés venir à Bruges et pourtant nous voilà à Bruges, la « Venise du nord », et comme je refuse de quitter le continent sans avoir posé le pied à Saint-Pétersbourg, cette autre « Venise du nord » (oui, elles sont plutôt nombreuses) et qu'il en reste beaucoup avant d'y arriver (sans compter les étapes pas prévues), je parlerais à travers mon chapeau si j'avançais une date de retour. Oui, bon, je me sens un peu coupable de vous laisser vous démerder avec les préparatifs du trentième de papa et maman, vous vous tapez tout le travail et moi je débarque pour le festin, mais avoue que si j'avais été là tu te serais quand même occupée de tout avec Mille-Mille, nous confiant à Marie et à moi quelques tâches subalternes pour nous donner l'illusion de participer, comme quand on était petites et que maman nous laissait casser les œufs et disait ensuite que c'était nous qui avions fait le gâteau, et là il me semble que cette phrase est commencée depuis assez longtemps pour que je commence à penser à y mettre un point. [...]

À Laurence Douville, 10 octobre 2005, Berlin :

Lo,

Lumière de ma vie, feu de mes reins, mon péché, mon âme, etc. Je ne compatis pas une miette à ton humiliation, tu devrais savoir qu'il ne faut jamais jouer au Scrabble contre ma mère. Sa conversation courante ne reflète aucunement l'étendue de son vocabulaire, il ne faut pas s'y fier, c'est un piège. Elle feint d'être à notre niveau, mais il y a longtemps que ça ne prend plus avec moi.

Est-ce que je te manque autant que tu me manques ? Décris-moi tes symptômes que je compare. Perds-tu le souffle, ton cœur s'arrête-t-il de battre chaque fois que tu entends un mot rimant vaguement avec mon nom ? Éprouves-tu une haine personnelle pour chacune des gouttes d'eau de l'océan qu'il y a entre nous ? J'espère bien, ma petite fille ! En tout cas, c'est clair, je ne pars plus si longtemps sans toi. Comment ai-je pu présumer de mes forces à ce point ? Pour notre prochaine vie, le plus simple serait de nous réincarner dans le même corps. Je te laisserais décider de notre garde-robe, tu me laisserais décider avec qui on couche. [...]

Le couple Labelle-Joncas est décidément au plus mal. Les apparences sont préservées, mais de justesse – merci à vingt années de vie en société et d'hypocrisie mondaine. De retour au pays, je crois qu'ils ne se donneront même pas la peine de se quitter officiellement, vont se contenter de partir chacun de son bord. À moins que la rupture ne survienne avant le retour au pays, ce qui ferait l'affaire de beaucoup de monde ici car, disons-le, mademoiselle Fred a un succès fou, on se retourne sur son passage. N'aurait qu'à se pencher pour ramasser les Teutons à la grappe.

En ce qui me concerne, je me fonds carrément dans le décor, ce ne sont pas les blondasses qui manquent dans le coin. […]

À France Labelle, 19 octobre 2005, Brno :

Maman,

Juste un petit mot pour te dire que tout va bien. Mes espions dans la cité du Rocher m'informent que tu t'es un peu rongé les sangs du fait que j'ai passé une semaine sans donner de nouvelles. Je suis toujours vivante, ça n'a juste pas adonné et tu n'imagines même pas les efforts que j'ai dû déployer pour trouver un ordinateur public, ici en Moravie. Pour le reste, ton inquiétude n'est pas entièrement vaine : apprends que je m'alimente très mal (je n'ingurgite ces jours-ci que des trucs qui tiennent sur un bâton) et que je monte en voiture avec des inconnus. Ce sont d'ailleurs trois inconnus, un Danois et deux Allemands, qui nous ont conduits ici. J-F, qui se pique de posséder quelques notions d'allemand, s'est chargé de la conversation, mais ils n'ont pas semblé comprendre grand-chose à ses histoires.

Prochaine étape : Vienne. Si tu m'écris d'ici là, indique-moi les choses sur lesquelles il convient de s'extasier à Vienne. Sinon, on en sera quittes pour acheter un guide. On ne compte pas trop s'y attarder, alors il faudra bien doser nos extases. De toute façon mon petit doigt me dit qu'on va sans doute se ramasser avec la bande de l'auberge de jeunesse à s'extasier devant des chopes de bière.

Embrasse Marie et papa pour moi. Enfin, pas à la lettre : Marie n'est pas à un âge où l'on se soucie d'être embrassée par sa maman, et pour ce qui est de papa, après trois décennies de mariage, cela serait inconvenant. […]

À Laurence Douville, 27 octobre 2005, Saint-Pétersbourg :

Lo,

Je ne serai pas longue, on m'a gracieusement prêté un laptop sur lequel on a, non moins gracieusement, ajouté « Français,

Canada » au traitement de texte, mais voilà : le clavier, lui, est toujours en cyrillique, alors je dois me souvenir de la position des lettres et, à part q-w-e-r-t-y, je sèche. C'est genre essai et erreur et là ça vient de me prendre quinze bonnes minutes pour t'expliquer ça. Bon, je vais aller droit au but maintenant : retour le vendredi 4 novembre. Sans doute que tu le savais par mes parents, mais je confirme pour être certaine que tu seras à l'aéroport.

Grand déballage à mon retour, vous n'y échapperez pas. Quoi de plus barbant que quelqu'un qui vous raconte son voyage dans les moindres détails ? Eh bien, ça sera un mauvais moment à passer, voilà tout. La vie est pleine de petites misères comme ça. Quand même deux mots tout de suite, juste pour dire que le gars qui me prête son laptop s'appelle Alexeï, sa blonde Anna, et qu'ils habitent dans Admiralteyskaya, à même pas dix minutes à pied de l'Ermitage. Ils passent, ces hosties-là, devant l'Ermitage aussi souvent et avec la même indifférence que nous passons devant le Tigre Géant, sur la Sixième. Ils traversent la Neva (par le pont Dvortsovy) pour se rendre à l'université comme toi et moi traversons le Saint-Maurice (par le pont de Grand-Mère) pour aller à Saint-Georges. De leur fenêtre, on voit le palais Menchikov. Bref, ils sont de Saint-Pétersbourg comme toi et moi sommes de Shawinigan secteur Grand-Mère, comme d'autres sont de Saint-Boniface ou de Notre-Dame-de-Montauban, et ne semblent pas comprendre pourquoi je m'excite le poil des jambes avec ça. Je les ai connus dans le train entre NiNo (comme on appelle Nijni Novgorod quand on est cool) et ici. Je te narrerai les circonstances à mon retour, mais pour le moment je t'envoie quelques photos. La première c'est Anna, Fred et moi devant l'église Saint-Sauveur-sur-le-Sang-Versé.

Enfin, on a beau dire, j'ai drôlement hâte de fouler le sol de Shawinigan secteur Grand-Mère. C'est encore ce qui se fait de mieux comme ville, puisque tu y es, toi. Je répète : sois à l'aéroport ! Je t'aime !

Phie

Anne-Sophie n'eut pas à ramer outre mesure, à son retour, pour se dénicher un emploi. En 2002, messieurs Gagnon et Brisson s'étant retirés des affaires, Louis et son ami Robert avaient racheté leurs parts dans l'entreprise. On avait conservé le nom, avantageusement connu dans le milieu, se contentant d'ajouter un discret « et Ass. » Anne-Sophie s'y fit embaucher à un salaire confortable, pour un poste sans définition précise qui ressemblait beaucoup à une sinécure. « Franchement p'pa, j'avais l'intention de travailler en attendant de retourner aux études, mais là je pense que je vais laisser faire les études, je vais plutôt rester ici à seize piastres de l'heure, à arroser la fougère, partir la cafetière et faire des photocopies. J'ai trouvé ma vocation. » Elle plaisantait juste à moitié. La perspective de retourner aux études en septembre était comme un petit nuage noir au-dessus de sa tête. La période d'inscription débutait bientôt et encore aucune idée ne lui venait. Elle avait espéré qu'une inspiration divine la frapperait pendant sa sabbatique, mais Dieu avait apparemment décidé de la laisser se débrouiller toute seule.

À force de feuilleter les ouvrages spécialisés dans la bibliothèque de Gagnon, Brisson et Ass., d'assommer son père de questions et de passer des heures penchée sur son épaule pendant qu'il travaillait dans Autocad, elle en était venue à se passionner pour l'architecture. Elle en connaissait l'histoire et les grands courants contemporains, s'y retrouvait entre modernisme et post-modernisme, déconstructivisme et futurisme ; elle pouvait, du premier coup d'œil, associer un bâtiment à une époque et à une école. Elle avait ses concepteurs préférés, Gordon Matta-Clark, Frank Gehry, la Coop Himmelblau, et surtout Daniel Libeskind, dont elle avait visité le Musée juif à Berlin. En d'autres circonstances, elle aurait pu envisager en faire une carrière, mais ce qui rendait la chose impossible était que le gros du travail d'un architecte se passe devant un écran d'ordinateur. Or, c'est le cas aussi pour un écrivain, et comme elle voulait devenir écrivain avant tout – du moins tenter sa chance sérieusement – et qu'elle ne tenait pas à passer douze heures par jour assise à l'ordinateur, il lui fallait un travail alimentaire d'une autre nature, si possible quelque chose se pratiquant en plein air. D'un autre côté, s'il s'avérait qu'elle n'avait aucun talent littéraire, ce qui constituait à son avis une quasi-certitude («Presque personne n'en a, hein?»), elle ratait peut-être sa vocation en poursuivant une chimère. Tant pis, elle prendrait le risque.

Certain jour, en désespoir de cause, elle avait fermé les yeux et pointé au hasard dans la liste des programmes de l'Université Laval, mais elle était tombée sur audioprothésiste. Apparemment le hasard aussi lui signifiait de s'arranger avec ses troubles. «Lo! Qu'est-ce qui reste comme solution quand Dieu et le hasard nous chient dans les mains?

– Heu… le libre arbitre?

– Fuck!»

Il avait terminé sa maîtrise en architecture au printemps et venait d'être embauché comme apprenti chez Gagnon, Brisson et Ass. Louis, qui s'était pris d'affection pour lui, ne tarissant pas d'éloge sur son talent, l'avait emmené manger à la maison un soir. Anne-Sophie et lui étaient inséparables depuis. Comment tu arrivais à faire bonne figure quand elle t'en parlait et que ses yeux brillaient, c'est ce que tu te demandes encore aujourd'hui. On ne vous avait toujours pas présentés l'un à l'autre – tu inventais des échappatoires pour reculer l'échéance –, mais toute ta vie déjà tournait autour de ce Mathieu. Tu emmagasinais chaque détail qu'elle te révélait à son sujet, tu l'avais googlé, t'étais créé une fausse identité dans Facebook sous laquelle tu t'étais fait admettre dans sa friend list. Toujours dans Facebook, tu avais examiné méticuleusement les pages de ses contacts et des contacts de ses contacts. Tu avais trouvé son numéro de cellulaire aimanté sur le frigidaire chez Anne-Sophie et tu l'appelais de temps en temps, d'une cabine, raccrochant dès qu'il répondait. Tu passais tous les jours devant son immeuble, rue Félix-Gabriel-Marchand, et tu scrutais les fenêtres de son appartement. Les soirs où tu savais qu'elle s'y trouvait, tu restais planté des heures dans le stationnement, à l'ombre du container, jusqu'à ce que les lumières s'éteignent. Qu'est-ce qu'ils faisaient là-dedans ? Heu... À ton avis ? Je ne veux surtout pas tourner le fer dans la plaie, mais si ça se trouve il n'aurait eu aucune chance avec elle si quelqu'un avait occupé le terrain. Si tu avais occupé le terrain.

Le plus dur fut de découvrir, le jour où vous fûtes enfin présentés l'un à l'autre, que ce type t'aurait beaucoup plu en d'autres circonstances. Avec toutes les réserves de mauvaise foi dont tu disposais – et elles étaient considérables –, tu n'arrivais pas à te demander : « Dieu tout-puissant ! Mais qu'est-ce qu'elle peut bien lui trouver, à ce type ? » sans que cela sonne faux. Tu voyais parfaitement ce qu'elle pouvait lui trouver, et inutile de dire que ça n'était rien pour mettre un baume sur tes plaies. Il était beau, pour commencer, ce qui est bien le diable : les garçons ne sont généralement pas très beaux. James McAvoy est beau, Johnny Depp et Guillaume Canet également, mais ils sont au cinéma, ça ne compte pas. Pour les filles, c'est différent : il suffit de s'asseoir une heure sur un banc, dans une artère passante, pour voir défiler les beautés par dizaines. Autre caractéristique qui le distinguait de 99 % des gars : il ne cherchait pas à faire le malin et ne se mettait jamais à discourir savamment sur des matières dont il ignorait tout. En fait, sa conversation se composait principalement de blagues idiotes.

Bref, ils « étaient faits l'un pour l'autre », ils « allaient si bien ensemble », formaient un « couple tellement cute », et tous ces lieux communs que tu répétais toi aussi, comme quoi on ne peut jamais s'empêcher d'appuyer là où ça fait mal, de passer la langue dans les trous des dents arrachées. Elle t'avait demandé ce que tu pensais de lui. Même si vous étiez amis de fraîche date, ton opinion comptait à ses yeux, et cela te touchait malgré tout. Tu lui avais répondu la vérité et t'étais trouvé très brave, très loyal de faire ça, mais le fait est que tu n'avais aucune raison de mentir. En fait tu ne trouvais plus de raison à grand-chose.

Anne-Sophie avait un jour senti le besoin d'un regard objectif sur son travail. Jusque-là, sa production, bien qu'abondante, se composait presque entièrement de pièces de circonstance : lettres à Frédérique, petites histoires idiotes et articles bidon qu'elle donnait au *Saint-Mathieu-du-Parc Herald,* quelques poèmes qu'elle ne montrait à personne et qu'elle affirme avoir détruits depuis. Le lecteur a pu se faire une idée de sa manière dans le genre épistolaire grâce aux quelques lettres que j'ai reproduites dans ces pages ; pour ce qui est de sa contribution au *Saint-Mathieu-du-Parc Herald,* il peut sembler difficile, à première vue, d'en faire l'analyse, tous les textes étant signés conjointement par l'équipe de rédaction. Toutefois, en furetant dans les archives de cette publication – les vingt-sept numéros ont été conservés sur support informatique –, on reconnaît au premier coup d'œil les textes d'Anne-Sophie. Celui-ci, par exemple, tiré de l'un des trois numéros à avoir paru à l'été 1999, alors qu'elle avait quatorze ans, est indéniablement de sa main :

Critique littéraire

On nous serine de tous côtés que l'été est la saison des lectures légères. Cependant, les fidèles lecteurs du *Herald* savent que nous faisons fi de ce genre de diktat, que nous préférerions fermer boutique plutôt que de sacrifier un tant soit peu au goût du jour. J'ai même décidé, par esprit de contradiction, de ramer à contre-courant en m'attaquant aujourd'hui à une œuvre particulièrement difficile. Il s'agit d'une blague parue dans le numéro de mai 1986 de *Super Picsou format poche*. Je la reproduis ici intégralement avant d'en faire l'analyse :

Un type au chef de gare : « Pardon mon brave, à quelle heure part le prochain train pour Lyon ? – À dix-huit heures, monsieur. – Et il n'y en a pas avant ? – Non, ils sont tous à vapeur. »

La première chose qui frappe à la lecture de ce texte, tirant son effet comique du quiproquo induit par l'homophonie entre l'adverbe de temps « avant » et la locution « à vent », désignant un mode de propulsion, est l'attitude déroutante du chef de gare dans cette situation. En effet, ce dernier agit-il malicieusement en feignant de ne pas comprendre la question de son interlocuteur, ou bien est-il de bonne foi ? Il est à noter qu'aucun indice contextuel ne vient corroborer l'une ou l'autre des hypothèses. Pourtant, après enquête auprès des autorités de la S.N.C.F. (Société Nationale des Chemins de fer de France), il appert qu'aucun train à énergie éolienne n'a été en service en France à ce jour. Cette information tendrait à faire pencher la balance en faveur de l'hypothèse du chef de gare facétieux, cherchant à se gausser d'un client (désigné sous le vocable « un type »). Toutefois, en poussant l'investigation plus avant, nous découvrons également qu'à la date de parution de l'œuvre, les locomotives à vapeur avaient depuis longtemps été mises au rancart. Ces renseignements troublants placent ce texte sous une lumière nouvelle : en effet, cette blague qui, après une lecture superficielle, semblait appartenir à l'école réaliste, se voit soudain privée de tous ses points de contact avec la réalité. Nous sommes en présence d'un texte qui nous parle non de ce qui est, mais de ce qui pourrait être, et ce décalage avec le réel contribue à provoquer chez le lecteur, en plus d'une hilarité incontrôlable, le sentiment étrange de pénétrer dans un univers parallèle où il n'existe plus de certitudes. Bref, une œuvre qui, comme toutes les grandes œuvres, pose davantage de questions qu'elle ne donne de réponses.

Pour un complément d'information, nous référons le lecteur à l'incontournable essai de N. Karatchev : *Le personnage du chef de gare dans la littérature comique au vingtième siècle, un aperçu.* Le mois prochain je vous entretiendrai de l'influence néfaste de Pet et de Répète sur la sécurité nautique.

Au fil des numéros, on trouve une soixantaine de textes de la même eau, qu'on peut attribuer à Anne-Sophie sans risque d'erreur. En tenant compte de ceux manifestement écrits à quatre mains, on peut chiffrer sa collaboration à une centaine d'articles. Dans le cercle familial, on était bien sûr infiniment complaisant, mais quel effet produirait sa prose sur une personne non prévenue en sa faveur ? Pour en avoir le cœur net, elle écrivit une nouvelle « sérieuse » et la soumit au concours organisé par les Caisses populaires du Centre-Mauricie, dont le premier prix consistait, outre l'honneur de voir sa nouvelle imprimée dans le journal, en un coupon-cadeau de cent dollars de la librairie Clément Morin. Elle utilisa Alexandre comme prête-nom pour pouvoir concourir dans la catégorie « adulte ». Être la meilleure parmi les « 14 à 18 ans » ne voulait rien dire pour elle. Sa nouvelle s'appelait « Le crapaud » et racontait l'histoire toute simple d'un jeune homme qui, en tondant le gazon chez un voisin, aperçoit un crapaud devant lui sur la pelouse. Son premier mouvement est d'écrabouiller la bête avec sa tondeuse, pour se désennuyer. Cependant, au dernier moment, sans trop savoir pourquoi il contourne le crapaud. « Dieu m'est témoin qu'à cet instant j'avais déjà réglé le sort de cet effronté. Pourtant, au moment où j'allais le faucher, un influx nerveux rebelle, provenant de je ne sais quel recoin de mon cerveau, me fit brusquement dévier de ma route. D'un coup d'épaule je hissai la tondeuse sur ses deux roues latérales et évitai le crapaud de quelques centimètres à peine. J'essayai ensuite de décoder sur les traits de l'animal quelque chose qui aurait pu passer pour de la gratitude ou, au moins, du soulagement. En fait, il ne s'était même pas donné la peine de se retourner, la petite teigne ! » Il ressent une immense satisfaction d'avoir ainsi réfréné ses bas instincts, d'avoir combattu ce penchant qui nous pousse à la cruauté envers les créatures sans défense, surtout les affreuses. Son amour pour lui-même ne connaît alors plus de bornes. « Parce que, oui, c'est bien d'héroïsme qu'il s'agit. Il n'y a aucun mérite à sortir un bébé d'une maison en flammes au péril de sa propre vie ou à plonger dans une rivière glacée pour sauver un inconnu de la noyade. Il suffit seulement de se trouver au bon endroit au bon moment. Tous ces prétendus héros ne font que suivre leur propension naturelle à l'empathie, qu'obéir à un atavique instinct de sauvegarde de l'espèce. » Son imagination s'emballe et, dans son délire, il en vient à croire au caractère providentiel de son geste. « Et si c'était Dieu lui-même qui, déçu par sa création, fatigué de traiter les dossiers au cas par cas, jonglant avec l'idée d'un nouveau déluge, avait décidé de jouer le sort de l'humanité sur ma tête ? J'étais la nouvelle Ève et j'avais refusé de mordre dans la pomme. J'avais lavé mes semblables de la souillure originelle, les rendant dignes à nouveau d'habiter l'Éden. » À la fin, le fils de la famille arrive et aperçoit le crapaud. Comme il parle de lui faire un mauvais parti, le type à la tondeuse l'assassine promptement. « "Ce crapaud vivra !" furent les dernières paroles qu'il entendit avant qu'une des lames du sécateur lui perfore le thorax. J'actionnai les poignées et fit se refermer les deux lames, lui tailladant l'abdomen sur une trentaine de centimètres. Il s'effondra comme une masse. » Puis, indifférent à ce qui se passe autour de lui, aux cris et aux sirènes de police, il reste là à regarder le cadavre, autour duquel de grosses mouches commencent à tournoyer, pensant au festin que cela ferait pour son ami le crapaud.

Elle ne s'était pas classée parmi les trois gagnants (deuxième prix : 50 $ chez Clément Morin ; troisième prix : *Le Petit*

Larousse illustré 2000), mais on lui avait accordé une mention (prix : rien du tout). Elle estima que cela constituait un résultat honorable pour une première tentative, jusqu'à ce qu'elle lise le texte de la gagnante dans l'*Hebdo,* brouet fadasse écrit à coup de dictionnaire des synonymes, exprimant les états d'âme de l'auteure sur le thème « c'était mieux dans mon temps » – sujet déjà éculé sous Ramsès Ier. Elle récusa donc le verdict du jury des Caisses populaires, eut même honte de cette mention décernée par ce ramassis d'illettrés, et décida de plaider sa cause plus haut. Son crapaud n'était pas du Tchekhov, beaucoup s'en fallait, mais il suffisait d'avoir les yeux en face des trous pour voir que ça enfonçait « L'érable devant chez moi » – ainsi s'intitulait l'œuvre primée. Elle le laissa néanmoins tomber sans regret et écrivit une autre nouvelle, qu'elle soumit cette fois à une revue littéraire. On accusa réception et on condescendit même à lui faire observer qu'on n'avait point coutume de publier des textes de débutants. Si elle voulait bien se donner la peine de vérifier, elle verrait que tous les auteurs au sommaire étaient publiés en volumes. Elle continua tout de même d'achaler les équipes éditoriales des deux ou trois revues littéraires de la province et de participer à des concours, toujours sous le nom d'Alexandre Labelle. Les revues l'ignorèrent systématiquement mais elle termina presque toujours parmi les finalistes dans les concours. Elle en gagna même un, assorti d'une bourse de 500 $ et d'une publication dans un hebdomadaire culturel à fort tirage.

De voir son texte imprimé et reproduit à des milliers d'exemplaires lui procura une vive satisfaction, mais ce n'était là qu'une manière de camp d'entraînement à ses yeux. Le 1er janvier 2007 – comme en fait foi la date de création du document dans Word –, elle entreprit la rédaction de son premier roman. « Oui, je sais, commencer un roman le premier de l'an, ça fait ringard, ça fait résolution, et les résolutions ça dure dix jours gros max, mais c'est juste un adon, ça faisait longtemps que je l'écrivais dans ma tête.» Elle passa les huit mois suivants à rédiger son premier jet, essayant autant que faire se pouvait d'appliquer la devise de Balzac : pas un jour sans une ligne – ou *nulla dies sine linea,* si on tient à péter de la broue. En se relisant, après chaque séance de travail, elle était généralement fière du résultat, s'émerveillait de son talent, de ses bonheurs d'expression («Tiens, j'avais ça en moi. Comme c'est curieux!»), satisfaite d'avoir engrangé quelques centaines de mots de plus. Chaque barrière franchie – dix mille mots, vingt mille mots, cent pages – redoublait son ardeur. Puis, à la fin, quand elle se relut du début, elle eut un choc : c'était au-dessous de tout, infect, mauvais, atroce ! Grands dieux ! Comment avait-elle pu écrire ça ! Qu'est-ce qui lui avait pris ? Pas une phrase ne trouvait grâce à ses yeux. Comparés à *Accessoires vendus séparément* – c'était le titre de la chose –, les livres de Marc Fisher faisaient figure de chefs-d'œuvre immortels. Anne-Sophie Bonenfant était à Denise Bombardier ce que Denise Bombardier était à Shakespeare. Son nom aurait même déshonoré le catalogue des Intouchables. Enfin, peut-être qu'en cherchant un peu, on pouvait trouver pire... *Julie, Journal d'une lofteuse... Testament d'un tueur des Hell's... On aime avec le cœur qu'on a...* Non, vraiment, *Accessoires vendus séparément* battait tous les records de médiocrité, il n'y avait pas à sortir de là. Honteuse comme un petit chien qui vient de s'oublier sur le canapé, elle décida de faire disparaître la pièce à conviction. Elle surligna le document, caressa longuement du doigt la touche *Del,* puis l'enfonça. Mais tout de suite après elle alla le récupérer dans sa corbeille. N'est-ce pas commettre une lâcheté que de faire disparaître ainsi la trace de nos échecs ? Elle allait le garder, tout compte fait, et si un jour elle arrivait à pondre quelque chose de potable – ce dont, à cette heure, elle doutait fort –, elle y reviendrait pour mesurer le chemin parcouru.

Accessoires vendus séparément fut laissé à l'abandon dans quelque sous-dossier sans titre au fond du disque dur. Son purgatoire dura près d'un an. Puis, un jour, elle y risqua un œil par curiosité. Elle lut les cinquante premières pages d'une traite, se laissant prendre par le récit, souriant à ses propres blagues, se prenant d'affection pour les personnages. Elle découvrait son texte comme s'il avait été écrit par quelqu'un d'autre et, bien qu'elle en vît les défauts, elle estimait qu'avec du travail elle arriverait à en faire quelque chose de pas si mal. Assez pour être publié ? De son avis et de celui de ses proches – incluant l'auteur de ces lignes –, oui. Seulement cela ne dépendait ni d'elle ni de ses proches, mais de ces entités toutes-puissantes appelées comités de lecture.

Le roman raconte l'histoire de Zéro et de Quarante-Neuf, un garçon et une fille dans la vingtaine habitant Grand-Mère. Ils sont voisins, ont des connaissances communes (Huit, le meilleur ami de Zéro, est ami avec Trente-Trois, la sœur de Quarante-Neuf), mais ils ne se rencontrent jamais, malgré qu'ils soient manifestement faits l'un pour l'autre. À trois reprises au cours du récit, ils se retrouvent au même endroit au même moment, mais chaque fois les circonstances les empêchent de faire connaissance. Deux moitiés de la même âme qui se frôlent sans jamais se toucher, qui passent à côté du véritable amour sans le savoir. À la fin, point d'apothéose, juste la vie qui continue, ni heureuse ni malheureuse. Seul le lecteur connaît leur drame, eux l'ignoreront toujours. Bon, admettons que comme sujets, les ironies du destin et l'incommunicabilité entre les êtres ne sont pas non plus de la première fraîcheur. « Oui, c'est vrai, j'invente rien, mais j'ai un bon beat, tu trouves pas ? L'idée, c'est que le lecteur se laisse emporter par le flot, qu'il n'ait pas envie de s'arrêter en route. Comme ça il ne se rend pas compte qu'il n'y a pas grand-chose à voir. » ‘

Depuis août 2006, Anne-Sophie habitait avec Laurence, rue Couillard, dans un bel appartement sur deux étages, avec murs de brique et toit mansardé. C'était un peu loin de l'université mais

Oh ! Allez, laisse tomber. Le cœur n'y est plus, rien qu'à voir on voit bien. Qui va la lire, de toute façon, cette bio ? Tout le monde s'en fout. Décroche, passe à un autre appel, reviens sur terre. Je comprends que tu as travaillé fort (au fait tu en es à combien ? quelque chose comme soixante-dix mille mots, non ? Et en heures ? Oui, t'as raison, vaut mieux ne pas y penser). Mais il ne faut pas voir ça comme du temps perdu, ça te fait tout de même des heures de vol, hein ? Un écrivain doit toujours écrire pour ne pas perdre la main, en tout cas c'est ce qu'on raconte. Mais là, franchement, on sent l'essoufflement. Plus ça va, plus tu utilises les béquilles classiques du biographe, tu t'appuies sur tes sources au lieu de raconter. De toute façon, ton récit allait bientôt rattraper le présent. On avait pas mal fait le tour de la question. Maintenant ce que tu as de mieux à faire c'est de l'oublier. Regarde autour de toi, ce n'est pas les filles qui manquent – carrément la moitié du monde. Ne me dis pas que dans le tas il ne s'en trouve pas une pour te faire perdre le souvenir de ton sosie d'Hilary Duff. Au fait, Agathe, elle travaille toujours à la bibli au coin de chez vous ?

« *C'est gentil de passer me voir, je savais plus quoi faire de ma peau, là !* » *Tu savais que tu la trouverais seule à la maison : ses parents étaient en voyage, Mathieu passait la semaine à Montréal chez des amis et Laurence était retenue à Québec pour cause de cours d'été intensif. Tu as proposé d'aller vider quelques bouteilles au terrain de golf. Vous êtes sortis de la route à la hauteur du Motel des 10 et avez suivi la rivière jusqu'au parc. Là, vous avez pris l'escalier menant de l'autre bord du pont Saint-Louis, puis vous vous êtes arrêtés dans un dépanneur prendre de la bière. Le soleil finissait de se coucher quand vous êtes arrivés au trou numéro 8. Vous vous êtes assis sur le banc près du tertre de départ et avez décapsulé votre première bière. C'est toi qui lui avais fait découvrir le trou numéro 8. Tu y venais déjà dans le temps, avec Max, à une époque où elle n'allait pas encore à l'école. Ça faisait drôle d'y penser. Nulle part ailleurs en ville on ne voit autant d'étoiles. On était à un petit quart d'heure de marche de la Sixième, et pourtant on pouvait se croire à la campagne. Personne ne vous entendrait s'il vous prenait la fantaisie de hurler à pleins poumons, vous aviez fait le test une fois. Comme d'habitude, votre conversation roulait sur les sujets les plus divers. « Veux-tu bien me dire pourquoi on appelle ce coin de la ville « l'autre bord du pont Saint-Louis » ? Je veux dire : c'est relatif, la notion d'« autre bord ». On est toujours d'un bord ou de l'autre du pont Saint-Louis, dans le fond. Pourtant, même ceux qui habitent ici disent : « Je reste de l'autre bord du pont Saint-Louis », mais de leur point de vue « l'autre bord » devrait être de l'autre bord, tu me suis ? » ; « Pourquoi on voit pas d'étoiles filantes ? On n'est pas censés être dans le temps des Perséides, là ? » ; « Je te lance un défi : peux-tu me nommer un seul Turc célèbre ? Non, non, lâche-moi avec Oram Pahmuk, il est loin d'être célèbre. Célèbre, ça veut dire quelqu'un que ma coiffeuse connaît. Céline Dion est célèbre. Non, mais pour dire qu'ils sont genre soixante-dix millions ou à peu près, c'est bizarre qu'il ne s'en trouve pas un pour rayonner internationalement. Quoi ? Un Belge ? Facile : Jacques Brel, Hergé. Un Danois ? Lars Von Triers. Bin oui, ma coiffeuse connaît Lars Von Triers. Sous-estime pas ma coiffeuse ! », etc. La nuit était douce, la bière descendait bien. Tu n'étais pas passé chez ta mère avant d'aller la voir, tu avais garé la voiture de location sur la Onzième, près de l'entrée du parc, puis fait le reste du trajet à pied. Comme ça tu allais pouvoir quitter la ville en évitant les artères passantes et personne ne saurait que tu étais venu à Grand-Mère ce jour-là. À ta connaissance, la seule personne à vous avoir vus ensemble était le commis du dépanneur. Mais un commis de dépanneur voit passer tellement de monde. Serait-il en mesure de t'identifier ? On pouvait en douter. Et puis, de toute façon, ce n'est pas comme si tu t'apprêtais à faire quelque chose de mal. Depuis quand un auteur n'a-t-il pas tous les droits sur son personnage ?*

Romans parus à L'instant même :

Iphigénie en Haute-Ville de François Blais
Chuchotements de Claude-Jacqueline Herdhuin
Xanadou de Patrick Tillard
Le passeur d'éternité de Roland Fuentès (en coédition
    avec Les 400 coups)
Glissement de terrain de Vahram Martirosyan (en coédition
    avec Les 400 coups)
Salamandres de Danielle Dussault
La bonbonnière de Hans-Jürgen Greif et Guy Boivin
Nous autres ça compte pas de François Blais
Marcher sur l'eau de Lyse Charuest
L'enlèvement de Bill Clinton de Cyrille Martinez (en coédition
    avec Les 400 coups)
Le jugement de Hans-Jürgen Greif
Le mur et l'Arpenteur de Roland Fuentès (en coédition
    avec Les 400 coups)
La volière d'Annie Chrétien
Le projet Syracuse de Georges Desmeules
Manga baroque d'Anne Legault
Le masque étrusque de Louis Jolicœur
Valdera de France Ducasse

ACHEVÉ D'IMPRIMER
EN SEPTEMBRE 2009
SUR LES PRESSES DE MARQUIS IMPRIMEUR INC.
SUR PAPIER SILVA ENVIRO
100 % POSTCONSOMMATION

    BIO GAZ
ÉNERGIE